Schriften der Philosophisch-historischen Klasse
der Heidelberger Akademie der Wissenschaften

Band 43 (2007)

Hans Freiherr von Campenhausen

(16.12.1903 – 6.1.1989)

CHRISTOPH MARKSCHIES (Hg.)

Hans Freiherr von Campenhausen – Weg, Werk und Wirkung

vorgelegt am 20. April 2007
von Christoph Markschies

UNIVERSITÄTSVERLAG WINTER
HEIDELBERG

Bibliografische Information der Deutschen Nationalbibliothek

Die Deutsche Nationalbibliothek verzeichnet diese Publikation in der Deutschen
Nationalbibliografie; detaillierte bibliografische Daten sind im Internet über
http://dnb.ddb.de abrufbar

ISBN 978-3-8253-5395-7

© 2008 Universitätsverlag WINTER Heidelberg GmbH
Imprimé en Allemagne · Printed in Germany
Gesamtherstellung: Memminger MedienCentrum AG, Memmingen

Gedruckt auf umweltfreundlichem, chlorfrei gebleichtem
und alterungsbeständigem Papier

Den Verlag erreichen Sie im Internet unter:
www.winter-verlag-hd.de

Inhaltsverzeichnis

Vorwort 7

Christoph Markschies
    Vergangenheit, Gegenwart und Zukunft der Ideen-
    geschichte – zum Werk Hans von Campenhausens 9

Albrecht Dihle
    Über Einheit in Staat und Kirche 29

Winrich A. Löhr
    Kirchengeschichte zwischen historischer Rekonstruktion
    und Gegenwartsorientierung – Hans von Campenhausen als
    Historiker und Theologe 61

Bibliographie 87

Vorwort

Am 3. (nach dem julianischen) bzw. 16. (nach dem gregorianischen Kalender) Dezember des Jahres 2003 wäre Hans Freiherr von Campenhausen 100 Jahre alt geworden. Auch wenn er selbst wissenschaftlichen Ehrungen, die mit derartigen Jubiläen einhergehen, bekanntlich skeptisch gegenüberstand, fordern Leben und Werk dazu heraus, der Skepsis des Jubilars zuwiderzuhandeln.

Der vorliegende Band enthält die Vorträge des Akademischen Festaktes der Theologischen Fakultät der Ruprecht-Karls-Universität Heidelberg, der zu Ehren Hans Freiherr von Campenhausens am Mittwoch, den 10. Dezember 2003 in der Aula der Universität und in der Akademie, seinen langjährigen Wirkungsstätten, begangen worden ist.

Die Laudatio von Christoph Markschies, seinerzeit der dritte Nachfolger Campenhausens auf dem Heidelberger Lehrstuhl für Historische Theologie, nimmt Campenhausens Werk unter dem Leitgedanken der Vergangenheit, Gegenwart und Zukunft der Ideengeschichte in den Blick. Der Festvortrag des einstigen Schülers und langjährigen Weggefährten von Campenhausens, des emeritierten Heidelberger Gräzisten Albrecht Dihle, nimmt die Frage nach der Einheit in Staat und Kirche, die von Campenhausen im Jahr 1973 unter dem Titel „Einheit und Einigkeit in der Alten Kirche" stellte, auf.

Der Verleger Georg Siebeck lud namens des Verlages Mohr Siebeck, in dem die meisten Veröffentlichungen Campenhausens erschienen sind, am Abend des Festtages ein, „unterwegs bei einem neuen alten Buch" zu verweilen, und präsentierte die Neuauflage des erstmals im Jahr 1968 erschienenen Werks „Die Entstehung der christlichen Bibel". Der Beitrag von Winrich A. Löhr – mittlerweile der vierte Nachfolger des Jubilars in Heidelberg –, der Hans von Campenhausens Forschungsgebiet im Spannungsfeld von historischer Rekonstruktion und Gegenwartsorientierung positioniert, eröffnete die Präsentation im historischen Gebäude der Akademie am Kornmarkt.

Frau Dr. Ruth Slenczka ließ nicht nur den Abend des Festtages mit einer Lesung aus den Erinnerungen Campenhausens ausklingen[1], sondern bereichert auch diesen Band mit einer Bibliographie der Werke Hans Freiherr von Campenhausens. Mein Dank gilt allen, die an dem Zustandekommen und der Durchführung des Festtages und dieser Dokumentation beteiligt waren, insbesondere dem Rektor der Ruprecht-Karls-Universität, Herrn Kollegen Prof. Dr. iur. Dr. h. c. Peter Hommelhoff, und dem damaligen Dekan der Theologischen Fakultät, Prof. Dr. theol. Christoph Schwöbel. Weiter danke ich dem Verlagshaus Mohr Siebeck und der Familie von Campenhausen, die die Idee eines Festtages von Anfang an begeistert aufgegriffen und gefördert haben.

Ferner gilt mein Dank Frau Annedore Keyl und meinem Assistenten, Herrn Andreas Heiser, die in gewohnt energischer Weise die Bibliographie bearbeitet und den Band für den Druck vorbereitet haben. Nicht zuletzt danke ich dem Sekretar der Philosophisch-historischen Klasse der Heidelberger Akademie der Wissenschaften, Herrn Prof. Dr. Dr. h. c. Volker Sellin, für die Aufnahme der Gedenkschrift in die Reihe der Schriften der Philosophisch-historischen Klasse der Heidelberger Akademie der Wissenschaften.

Berlin, im Herbst 2006   Christoph Markschies

---

[1] Die „Murren" des Hans Freiherr von Campenhausen. „Erinnerungen, dicht wie ein Schnee-gestöber". Autobiografie, hg. v. R. SLENCZKA, Norderstedt 2005.

Vergangenheit, Gegenwart und Zukunft der Ideengeschichte – zum Werk Hans von Campenhausens

von Christoph Markschies

Magnifizenz, Spectabiles, lieber Erzbischof Kretschmar, verehrte Herren Altbischöfe, sehr geehrte Mitglieder der Familie von Campenhausen, liebe Schüler Hans Freiherr von Campenhausens, verehrte Damen und Herren,

„Die Kirchengeschichte selbst ist keine wissenschaftliche Spezialität; denn ihr Gegenstand, die Kirche, ist durch das, was sie der Welt zu sagen hat, in allen Zeiten mit der Weltgeschichte innerlich verbunden, auf das Ganze des geistigen und menschlichen Geschehens bezogen und von dessen Fragen ihrem Wesen nach betroffen und bewegt. Sie ist nicht Winkelgeschichte, sondern Geschichte der ganzen Menschheit in ihrer Begegnung und Auseinandersetzung mit Gottes Wort."[1] Mit diesen programmatischen Worten begann Hans Freiherr von Campenhausen am 22. November 1946 seine Rektoratsrede zur fünfhundertsten Jahrfeier der Ruperto Carola und beschrieb in feinsinniger Modifikation eines bekannten Ranke-Diktums, wie die Kirchengeschichte auf der einen Seite „in all ihren Epochen unmittelbar zu Christus" sei und auf der anderen doch stets „von neuem vor uns" hinstelle, „was längst versunken schien, ... als ob es gestern gewesen wäre"[2]: Die Rektoratsrede thematisiert entsprechend nicht nur die damalige verheerende Lage Deutschlands nach der Katastrophe so, daß sehr ausführlich die Zerstörungen Roms durch die Goten im Jahre 410 n.Chr. beschrieben werden, sondern fragt auch nach der rechten Weise, im Angesicht des Grauens vom menschlichen Leben und von Gott zu reden. Campenhausen spricht in dieser Rede immer

---

[1] H. FREIHERR VON CAMPENHAUSEN, Augustin und der Fall von Rom, in: DERS., Weltgeschichte und Gottesgericht, Lebendige Wissenschaft 1, Stuttgart 1947, (1–18) 1 (= DERS., Tradition und Leben. Kräfte der Kirchengeschichte. Aufsätze und Vorträge, Tübingen 1960, [253–271] 253).

[2] CAMPENHAUSEN, Augustin und der Fall von Rom (wie Anm. 1), 253 f.

als Kirchenhistoriker, aber er redet zugleich durch die Person Augustins vom Sinn des Lebens angesichts der „Qual und Verlassenheit
der ... Lebensschicksale und Leiden seiner gepeinigten Mitbürger",
spricht zu Studierenden, die gerade dem allgemeinen Massenmorden
entkommen sind[3]. Ähnlich ist eine Rede des Rektors zu Luthers
vierhundertstem Todestag am 18. Februar 1946 gehalten, bei der die
Schrecken des sechzehnten Jahrhunderts als „Grausamkeit der Geschichte" von Beginn an ein zentrales Thema sind[4].

Wer sich als wesentlich jüngerer Fachkollege diesem beeindruk-
kenden Vorgänger und seinem Werk nähern will, der kann natürlich
über die Person sprechen, die hinter einer solchen ebenso sensiblen
wie programmatischen Weise, sein eigenes Fach als Theologe vor aller Welt und für alle Welt zu betreiben, steht. Dazu sind aber andere
unter uns gewiß berufener als ich selbst. Außerdem haben Bernd
Moeller und mein Vorgänger Adolf Martin Ritter, persönliche Schüler Campenhausens, zur Biographie ihres Lehrers schon längst wichtige Beiträge geliefert[5]. Ich möchte mich daher heute eher an der la-
konischen Kürze orientieren, mit der sich Campenhausen in seiner
„Sammlung christlicher und unchristlicher Scherze" mit großer Ironie vorstellt als einer, der „an vielen Universitäten herumgekommen"

---

[3]   Ebd., 260.

[4]   H. FREIHERR VON CAMPENHAUSEN, Gottesgericht und Menschengerechtigkeit bei Luther,
      in: DERS., Weltgeschichte und Gottesgericht (wie Anm. 1), (19–32) 21 (= DERS., Tradition
      und Leben [wie Anm. 1], [343–360] 344).

[5]   B. MOELLER, Nekrolog Hans Freiherr von Campenhausen, 16.12.1903 bis 6.1.1989, HZ
      249, 1989, 740–743 und A. M. RITTER, Hans Frhr. v. Campenhausen †, ZEvKR 34, 1989,
      113–116; DERS., Hans von Campenhausen und Adolf von Harnack, ZThK 87, 1990, 323–
      339; DERS., Hans von Campenhausen (16.12.1903–6.1.1989) – Ein protestantischer Kir-
      chenhistoriker in seinem Jahrhundert, HdJb 34, 1990, 157–169. Zuletzt: W. WISCHMEYER,
      Hans von Campenhausen in Wien, in: Zeitenwechsel und Beständigkeit. Beiträge zur Ge-
      schichte der Evangelisch-theologischen Fakultät in Wien 1821–1996, hg. v. K.
      SCHWARZ/F. WAGNER, Schriftenreihe des Universitätsarchivs 10, Wien 1997, 209–214;
      TH. KAUFMANN, „Anpassung" als historiographisches Konzept und als theologiepolitisches
      Programm. Der Kirchenhistoriker Erich Seeberg in der Zeit der Weimarer Republik und
      des „Dritten Reiches", in: Evangelische Kirchenhistoriker im „Dritten Reich", hg. v. TH.
      KAUFMANN/H. OELKE, VWGTh 21, Gütersloh 2002, (122–272) 243–246; W. A. LÖHR,
      Hans Erich Frhr. von Campenhausen vor 100 Jahren geboren, Nachrichtenblatt der Balti-
      schen Ritterschaften 45, 2003, Heft 3, 68–70.

ist und „mehr oder weniger ordentlich studiert und doziert" hat, und
auf diese Weise ein biographisches Exemplum von Zivilcourage in
schwierigen Jahren ohne jedes Pathos lediglich andeutet[6]. Mich interessiert im Rahmen dieser akademischen Feier, auf welche Weise
Campenhausen den inneren Bezug zwischen Kirchen- und Universalgeschichte expliziert hat und wie er das Vergangene seiner Gegenwart so hingestellt hat, „als ob es gestern gewesen wäre", als
gegenwärtige Vergangenheit und nicht als „vergangene Gegenwärtigkeiten"[7], als „Bleibendes im Wandel der Kirchengeschichte", wie
die Schüler eine Festgabe für ihren Lehrer übertitelt haben[8].

Meine These ist, daß Hans Freiherr von Campenhausen den inneren Bezug zwischen Kirchen- und Universalgeschichte dadurch zu
explizieren versuchte, daß er in seiner historischen Arbeit vor allem
die Geschichte von Ideen nachgezeichnet hat, genauer: von solchen
Ideen, die nicht nur das Christentum, sondern auch die ganze weltge-
schichtliche Entwicklung prägen. Weil er davon überzeugt war, daß
solche Ideen – die Idee des Martyriums, die Idee der Askese, die Idee
von Amt und Charisma – bis in die unmittelbare Gegenwart hinein
individuelle wie institutionelle Wirklichkeit prägen, wurde mit der
Geschichte der Idee zugleich auch immer die Gegenwart beleuchtet
und auf diese Weise die Vergangenheit lebendig gemacht. Daß ein
deutlicher Schwerpunkt der Opera omnia Campenhausens auf der
Ideengeschichte liegt, wird auch einem oberflächlichen Leser in seinem reichen Œuvre auffallen, obwohl es sich selbstverständlich darin
nicht erschöpft – Personengeschichte hat der Verfasser der Griechischen und Lateinischen Kirchenväter beispielsweise ebenso gern ge-
trieben[9], und die Rechtsgeschichte hat ihn gleichfalls lebenslang be-

---

[6] H. FREIHERR VON CAMPENHAUSEN, Theologenspieß und -spaß. Christliche und unchristliche Scherze, KVR 1536, Göttingen [7]1988, 2.

[7] E. SCHWARTZ, Vergangene Gegenwärtigkeiten, Gesammelte Schriften, Bd. 1, Berlin 1938.

[8] Bleibendes im Wandel der Kirchengeschichte. Kirchenhistorische Studien, hg. v. B. MOEL-
LER/G. RUHBACH, Tübingen 1973.

[9] Neben der Dissertation über Ambrosius (s. u.) vgl. H. FREIHERR VON CAMPENHAUSEN,
Augustinus, in: Menschen, die Geschichte machten. 4000 Jahre Weltgeschichte in Zeit-
und Lebensbildern, hg. v. P. R. ROHDEN, BD. 1 Altertum und Mittelalter, Wien [2]1933,
244–247.

schäftigt[10]. Außerdem hätte sich Campenhausen vermutlich gegen eine Rubrizierung unter dem Stichwort „Ideengeschichte" schon deswegen gewehrt, weil der Begriff ihn in eine ganz unpassende Nähe zu Erich Seeberg und seinen Schülern gebracht hätte: So gibt es beispielsweise zu der Monographie, die Ernst Benz 1934 über „Kirchenidee und Geschichtstheologie der franziskanischen Reformation" unter dem Titel „Ecclesia Spiritualis" veröffentlichte[11], weder in den Grundzügen noch im Detail wissenschaftlicher Arbeit irgendwelche wichtigen Berührungspunkte. Man darf auch daran zweifeln, daß Campenhausen ausführliche Reflexionen über die Methodik seines kirchenhistorischen Arbeitens überhaupt sonderlich geschätzt hätte, schließlich stellte er sie auch selbst nicht an.

Trotzdem wird man kaum leugnen können, daß ein großer Teil seiner Arbeiten leitende Ideen der Kirchen- und Universalgeschichte behandelt und auf diese Weise den grundlegenden Zusammenhang zwischen beiden historischen Perspektiven, der Kirchengeschichte und der Universal- bzw. Weltgeschichte, deutlich werden läßt: Das Büchlein „Die Idee des Martyriums in der alten Kirche" von 1936 dokumentiert den ideengeschichtlichen Zugriff schon im Titel[12] und zeigt sehr schön, wie eine urchristliche Idee bis in die unmittelbare Gegenwart (auch unserer Tage, nicht nur der Jahre nach 1933) individuelle wie institutionelle Wirklichkeit zu prägen vermag. Die beiden großen Monographien über kirchliches Amt und geistliche Vollmacht von 1953 einerseits und die Geschichte der christlichen

---

[10] H. FREIHERR VON CAMPENHAUSEN, Die Schlüsselgewalt der Kirche, EvTh 4, 1937, 143–169; DERS., Recht und Gehorsam in der ältesten Kirche, in: DERS., Aus der Frühzeit des Christentums. Studien zur Kirchengeschichte des ersten und zweiten Jahrhunderts, Tübingen 1963, 1–29 (= ThBl 20, 1941, 279–295); DERS., Die Begründung kirchlicher Entscheidungen beim Apostel Paulus, ebd., 30–80 (= SHAW.PH 1957/2, Heidelberg 1957); DERS., Das Problem der Ordnung im Urchristentum und in der Alten Kirche, in: Bindung und Freiheit in der Ordnung der Kirche, hg. v. H. FREIHERR VON CAMPENHAUSEN/H. BORNKAMM, SGV 222/223, Tübingen 1959, 5–25.

[11] E. BENZ, Ecclesia Spiritualis. Kirchenidee und Geschichtstheologie der franziskanischen Reformation, Stuttgart 1934.

[12] H. FREIHERR VON CAMPENHAUSEN, Die Idee des Martyriums in der alten Kirche, Göttingen ²1964.

Bibel von 1968 andererseits[13] sind zuerst Bücher über Ideen, wie mein Kollege Winrich Löhr jüngst noch einmal gezeigt hat[14]. Daß sie darüber hinaus anderes und mehr sind, natürlich auch die Hauptdaten der Geschichte der Kanonisierung und der Entwicklung der Ämter behandeln, soll selbstverständlich nicht geleugnet werden; entscheidend ist vielmehr, wie der Autor selbst (beispielsweise in den Vorworten) seine Monographien präsentiert[15]. Man kann auch vermuten, daß das geplante, aber nicht mehr vollendete letzte Buch eine Darstellung der Geschichte der Idee des Bekenntnisses im antiken Christentum geworden wäre – die zum Thema schon publizierten Beiträge deuten jedenfalls trotz aller formgeschichtlichen Argumentation in diese Richtung[16]. Dazu kommen allerlei einschlägige Aufsätze, beispielsweise über die Idee der Askese[17], die Idee der Heilsge-

---

[13]   H. FREIHERR VON CAMPENHAUSEN, Kirchliches Amt und geistliche Vollmacht in den ersten drei Jahrhunderten, BHTh 14, Tübingen 1953 (dazu W. MAURER, Vom Ursprung und Wesen kirchlichen Rechts, ZEvKR 5, 1956, 3–32); DERS., Die Entstehung der christlichen Bibel, BHTh 39, Tübingen ¹1968, ³2003; vgl. auch DERS., Das Alte Testament als Bibel der Kirche vom Ausgang des Urchristentums bis zur Entstehung des Neuen Testaments, in: DERS., Aus der Frühzeit des Christentums (wie Anm. 10), 152–196.

[14]   W.A. LÖHR, Das antike Christentum im zweiten Jahrhundert – neue Perspektiven seiner Erforschung, ThLZ 127, 2002, 247–262, bes. 253. – Schon im Aufsatz von 1941 (wie Anm. 10) beschäftigt von Campenhausen die „eigentümliche, so folgenschwere Verquikkung von Geist und Amt oder Geist und Recht", die er mit einem Zitat seines Lehrers Hans von Soden an den Beginn dieses Textes stellt.

[15]   Vgl. CAMPENHAUSEN, Entstehung der christlichen Bibel (wie Anm. 13), 1: „Dieses Buch soll den bevorzugten Gegenstand der gängigen Kanongeschichten nicht noch einmal behandeln. ... Mich interessiert der große historische Prozeß der Kanonbildung als solcher, das Problem des christlichen Kanons, die treibenden Motive und die hemmenden Widerstände bei seiner Entstehung" und DERS., Kirchliches Amt und geistliche Vollmacht (wie Anm. 13), 323: „Überblickt man die Entwicklung, die der Gedanke des kirchlichen Amts in den ersten drei Jahrhunderten durchlaufen hat, so drängt sich der Eindruck der geschichtlichen Bewegung, der unaufhaltsamen Verwandlung und Umformung der gegebenen Möglichkeiten vor allem auf."

[16]   H. FREIHERR VON CAMPENHAUSEN, Das Bekenntnis im Urchristentum, in: DERS., Urchristliches und Altkirchliches. Vorträge und Aufsätze, Tübingen 1979, 217–272; DERS., Der Herrentitel Jesu und das urchristliche Bekenntnis, ebd., 273–277; DERS., Das Bekenntnis Eusebs von Caesarea (Nicaea 325), ebd., 278–299.

[17]   H. FREIHERR VON CAMPENHAUSEN, Die Askese im Urchristentum, in: DERS., Tradition und Leben (wie Anm. 1), 114–156 sowie DERS., Die asketische Heimatlosigkeit im altkirchlichen und frühmittelalterlichen Mönchtum, ebd., 290–317.

Christoph Markschies

schichte[18] oder die Idee der Einheit des Christentums in der Antike[19].
Bereits die Heidelberger Dissertation über Ambrosius von Mailand
bei Hans von Schubert aus dem Jahre 1926 fragt nicht nur nach einer
Person, sondern nach den leitenden Ideen ihrer Kirchenpolitik, will
mehr als eine „psychologische Skizze" bieten, nämlich die „Wieder-
gabe einer klaren kirchlichen und staatlichen Theorie"[20]. Es handelt
sich im Grunde um einen Beitrag zu den bis heute einflußreichen
Grundideen einer evangeliumsgemäßen Relation zwischen Staat und
Kirche. Und selbst die Marburger christlich-archäologische Habilita-
tionsschrift über die Passionssarkophage von 1928[21] ist (so der Verfasser in seinen einleitenden Bemerkungen) „weder eine stilkritische,
noch im eigentlichen Sinne ikonographische Untersuchung"; Campenhausen fragte vielmehr „allein nach der Komposition des darge-
stellten Bildkreises, soweit sie dessen inhaltliche Seite betrifft". Er
schrieb mit anderen Worten eine Ideengeschichte des Passionszy-

---

[18] CAMPENHAUSEN, Augustin und der Fall von Rom (wie Anm. 1), 270; DERS., Die Entstehung der Heilsgeschichte. Der Aufbau des christlichen Geschichtsbildes in der Theologie
des ersten und zweiten Jahrhunderts, Saec. 21, 1970, 189–212 (= DERS., Urchristliches und
Altkirchliches [wie Anm. 16], 20–62).

[19] H. FREIHERR VON CAMPENHAUSEN, Einheit und Einigkeit in der Alten Kirche, in: DERS.,
Urchristliches und Altkirchliches (wie Anm. 16), 1–19 (= EvTh 33, 1973, 280–293); ge-
würdigt von A. M. RITTER, „Orthodoxie", „Häresie" und die Einheit der Kirche in vorkonstantinischer Zeit, in: DERS., Charisma und Caritas. Aufsätze zur Geschichte der Alten Kirche, Göttingen 1993, 249–264.

[20] H. FREIHERR VON CAMPENHAUSEN, Ambrosius von Mailand als Kirchenpolitiker, AKG
12, Berlin/Leipzig 1929, 259. Hans Lietzmann urteilt über das Manuskript in einem Brief
an Hans von Schubert vom 6. Oktober 1927: „Ich habe von dem Buch einen sehr günstigen
Eindruck gewonnen und glaube, daß es für C. die Bahn gut ebnen wird. Es ist eine Leistung, die uns wissenschaftlich fördert, und zwar auf einem Gebiet, wo jetzt bei uns wenig
geleistet wird" (Brief Nr. 598 in: Glanz und Niedergang der deutschen Universität. 50 Jahre deutscher Wissenschaftsgeschichte in Briefen von und an Hans Lietzmann [1892–1942],
mit einer einführenden Darstellung hg. v. K. ALAND, Berlin/New York 1979, 553). Ein anderes Lob in einem Empfehlungsbrief nach Wien vom 13. November 1937 (Nr. 1029,
S. 905): „Wir haben in unserem gesamten Nachwuchs nur zwei Leute, die alte Kirchengeschichte wirklich von Grund aus können, der eine ist Campenhausen, der andere Opitz."

[21] H. FREIHERR VON CAMPENHAUSEN, Die Passionssarkophage. Zur Geschichte eines altchristlichen Bildkreises, Sonderdruck aus dem „Marburger Jahrbuch für Kunstwissenschaft" 5, Marburg 1929.

klus, wie er auf den Sarkophagen erscheint und seither die bildende Kunst prägt[22].

Wenn man sich auf diese Weise vergegenwärtigt, wie Campenhausen durch seine ideengeschichtliche Arbeit den Zusammenhang von Kirchen- und Universalgeschichte zu explizieren versuchte, liegt die Frage nahe, wie sich dieser besondere Schwerpunkt seiner historischen Arbeit zu den Ansätzen seiner akademischen Lehrer verhielt und welche Bedeutung er für die nachgeborenen Generationen noch haben kann.

Zunächst einmal scheint mir, daß der ideengeschichtliche Zugriff Campenhausens auf die Materie der Kirchengeschichte sich durchaus von dem seiner Lehrer unterschied. Campenhausen betrieb die Institutionengeschichte, auf die sein Fach durch die großen Historiker des neunzehnten Jahrhunderts, beispielsweise durch Mommsen[23] und Harnack[24], gewiesen worden war, im Unterschied zu diesen Lehrern

---

[22] Ebd., 1.

[23] „Die Institutionen können wir einigermaßen begreifen; den Werdeprozeß hat schon das Altertum nicht gekannt und wir werden ihn nicht erraten" (Th. Mommsen an U. von Wilamowitz-Moellendorff, zitiert nach V. EHRENBERG, Th. Mommsens Kolleg über römische Kaisergeschichte, HJb 4, 1960, [94–107] 95 f.). Vgl. auch aus einem Brief von Wilamowitz an seinen Schwiegervater vom 11.10.1884 (zum Hintergrund des Briefes auch DERS., Erinnerungen 1848–1914, Leipzig 1928, 182 f.): „Du wirfst die Frage auf, ob Du nicht besser tätest, die Sache ruhen zu lassen und das Staatsrecht zu machen und motivierst das damit, daß sich wohl die Institution, aber nicht das Werden, die Geschichte darstellen ließe. Offenbar hat Dich der Ekel gegen die Unzulänglichkeit der Kenntnis gefaßt ... Du sagst den Leuten ..., ‚Ich will Euch zeigen, was eigentlich erzählt oder erforscht werden soll. Mein langes und reiches Leben habe ich daran gesetzt, die Institutionen und die treibenden Kräfte zu erforschen, tief bin ich gegangen, bis in das Mark des Baumes, dessen Rinde ihr allein kennt, und deren Moose und Flechten ihr für seine Früchte haltet.'" (Mommsen und Wilamowitz. Briefwechsel 1872–1903, hg. v. F./D. HILLER VON GAERTRINGEN, Berlin 1935, 192 f.)

[24] Vgl. die fünfte These aus den neun Thesen „Wie soll man Geschichte studieren, insbesondere Religionsgeschichte?", die einem Vortrag Harnacks am 19.10.1910 in Oslo zugrunde lagen: „Vergessen Sie nicht, dass das Knochengerüst der Geschichte die Institutionen sind und dass nur sie sicher erkennbar sind!" (A. [VON] HARNACK, Wie soll man Geschichte studieren, insbesondere Religionsgeschichte? – Thesen und Nachschrift eines Vortrages vom 19.10.1910 in Christiania/Oslo, hg. v. CH. MARKSCHIES, ZNThG 3, 1995, [148–159] 154) oder das Diktum auf der Aarauer Studentenkonferenz 1920: „Wir studieren Geschichte letztlich, um die Institutionen kennen zu lernen." (DERS., Was hat die Historie an fester Erkenntnis zur Deutung des Weltgeschehens zu bieten?, in: DERS., Erforschtes und Erleb-

seiner eigenen akademischen Lehrer primär als Ideengeschichte. Natürlich spielen auch bei Harnack drei Ideen – Amt, Glaubensregel
und Kanon – eine zentrale Rolle in seinem Lehrbuch der Dogmengeschichte, aber sie entwickeln sich nicht historisch, sondern fallen –
etwas polemisch zugespitzt referiert – vom Ideenhimmel herunter auf
die Erde und wirken als Notbremse einer katholisch werdenden Kirche gegen die gefährlich verwirrende Gnosis. Auch wenn diese „katholische Kirche" des zweiten Jahrhunderts auf der ersten Seite des
einschlägigen Kapitels mit einem Goethezitat als „große Idee" vorgestellt wird[25] und auch wenn Harnack immer wieder die Bedeutung
der Entwicklungsgeschichte betont hat[26], meinte er, die Entwicklung
hin zu den sogenannten katholischen Normen nur „ideal construiren"
zu können, weil der wirkliche Verlauf der Dinge mangels Quellen
verborgen sei. Auch die meisten Arbeiten von Rudolf Bultmann und
Martin Dibelius – also von direkten Lehrern Campenhausens – wird
man kaum unter der Überschrift „Ideengeschichte" zusammenfassen
können: Rudolf Bultmann protestiert im ersten Band seiner gesammelten Aufsätze unter dem Titel „Glauben und Verstehen", der 1933
erschien, gerade gegen die Reduktion des Christentums auf eine Ansammlung von Ideen, deren innerweltliche Entwicklung „sozialpsychologischen Gesetzen" unterworfen sei[27]; Jesu Verkündigung ist für
ihn gerade keine Lehre, sondern „primär *direkte Anrede*"[28]. Entsprechend ist ein Verstehen seiner Botschaft intendiert, das neue Da

---

tes, Giessen 1923, [171–195] 183); vgl. auch DERS., Über die Sicherheit und die Grenzen
geschichtlicher Erkenntnis, ebd. 15 (im Original gesperrt): „Die epochemachenden Ereignisse, die Denkmälerkenntnis und die Institutionenforschung bilden das Rückgrat der Geschichte."

[25] A. (VON) HARNACK, Lehrbuch der Dogmengeschichte, Bd. 1 Die Entstehung des kirchlichen Dogmas, Tübingen ⁴1909, 336.

[26] Z.B. in der zweiten These des Osloer Vortrags: „Vergessen Sie nie, dass alle Geschichte
als Entwicklungsgeschichte verläuft, aber bleiben Sie eingedenk, dass kein geschichtliches
Problem mit diesem Schlüssel allein erschlossen werden kann" (A. [VON] HARNACK, Wie
soll man Geschichte studieren, insbesondere Religionsgeschichte? [wie Anm. 24], 153).

[27] R. BULTMANN, Die liberale Theologie und die jüngste theologische Entwicklung, in:
DERS., Glauben und Verstehen. Gesammelte Aufsätze, Tübingen 1933, (1–125) 5.

[28] DERS., Kirche und Lehre im Neuen Testament, in: DERS., Glauben und Verstehen, Bd. 1,
(153–187) 172.

seinsmöglichkeiten für die Verstehenden erschließt[29]. Ganz ähnlich
formuliert Martin Dibelius am Ende seines kleinen Jesus-Büchleins:
„Immer wieder ging von der Geschichte Jesu der Aufruf zur Entscheidung aus. Wer den beständigen Kampf um das Christentum
ernst nimmt, weiß, ob Freund oder Feind, davon zu sagen, daß dieser
Aufruf nicht verstummt ist."[30] Am ehesten erkennt man noch bei
Hans von Soden, dem Campenhausen auch menschlich sehr verbunden war und dessen gesammelte Aufsätze er 1951 herausgegeben
hat, ideengeschichtliche Ansätze: Wenn beispielsweise unter der
Überschrift „Krisis der Kirche" 1931 durch von Soden zentrale Ele-
mente des theologischen Kirchenbegriffs in verschiedenen Jahrhunderten vorgestellt werden und Kontinuitäten wie Wandlungen sehr
präzise herausgearbeitet werden, dann erinnert das an Campenhausens eigenen ideengeschichtlichen Zugriff auf Bleibendes im Wandel der Kirchengeschichte[31]. Auch Hans von Schubert wird von Einfluß gewesen sein, obwohl beispielsweise in seiner „Geschichte der
christlichen Kirche im Frühmittelalter" von 1921 oder im Vortrag
zur weltgeschichtlichen Bedeutung der Reformation von 1917 die
Ideengeschichte stets durch die politische Geschichte ergänzt und ge-
rahmt wird. In jedem Fall aber ist von Schuberts universalgeschichtlicher Anspruch und die entsprechende Breite seiner wissenschaftlichen Interessen bei seinem Schüler von Campenhausen – wenn
auch in stark verwandelter Gestalt – aufgenommen worden[32].

   Mit seiner früh angelegten und bald – neben der Personengeschichte – dominanten ideengeschichtlichen Form einer Universalgeschichte unterschied sich Campenhausen zwar von den meisten sei-

---

[29] Ebd., 157.
[30] M. Dibelius, Jesus, SG 1130, Berlin ²1949, 133.
[31] H. von Soden, Die Krisis der Kirche, in: Ders., Urchristentum und Geschichte. Gesam-
      melte Aufsätze und Vorträge, hg. v. H. Freiherr von Campenhausen, Bd. 1 Grundsätz-
      liches und Neutestamentliches, mit einem Vorwort von R. Bultmann, Tübingen 1951,
      25–55. Vgl. auch Ders., Hans Freiherr von Soden zum Gedächtnis, in: Ders., Aus der
      Frühzeit des Christentums. Studien zur Kirchengeschichte des ersten und zweiten Jahrhun-
      derts, Tübingen 1963, 331–335 und E. Dinkler, Hans von Sodens Vorträge und Aufsätze,
      ThLZ 82, 1957, 253–256.
[32] E. Dinkler, Art. Hans von Schubert, in: RGG³, Bd. 5, Tübingen 1961, 1549 f.

ner theologischen Lehrer, lag aber durchaus in einem allgemeinen historiographischen Trend seiner Zeit. Nach wie vor orientierten sich viele Historiker jedenfalls an diesem Punkt an Leopold von Ranke, seinem universalgeschichtlichen Ansatz und seiner Konzentration auf die geschichtsleitenden Ideen[33] – es ist wohl kein Zufall, daß von Campenhausen in beiden erwähnten Rektoratsreden von 1946 auf von Ranke anspielt, der natürlich auch bei denen mit seinen Grundprinzipien präsent war, die ihn selbst gar nicht gelesen hatten[34]. Viele der Themen, die Campenhausen verfolgte, waren klassische Themen der deutschen Historiographie seit dem neunzehnten Jahrhundert: Schon von Rankes „Geschichten der romanischen und germanischen Völker" von 1824 fragt nach der Einheit des Christentums und seiner Bedeutung für die Einheit Europas[35], auch das Interesse am Verhältnis von Gottes- und Weltgeschichte prägt (mindestens zwischen den Zeilen) das Œuvre des Berliner Historikers an vielen Stellen. Und trotz aller Kritik an von Ranke trieben nicht nur zeitgenössische Historiker wie Friedrich Meinecke[36], sondern viele andere Disziplinen ganz selbstverständlich Ideengeschichte; ein „Journal of the History of Ideas" erschien erstmals im Januar 1940, und im eröffnenden Aufsatz konnte man lesen, daß „every branch of historical inquiry ... may be said to include within its scope some portion of the history of ideas"[37].

Natürlich wäre es äußerst einseitig, wollte man Campenhausens ideengeschichtlichen Ansatz nur in der Tradition klassischer deutscher Historiographie interpretieren: Schon seine Heidelberger Pro-

---

[33]   H. SCHLEIER, Geschichtstheorie und Geschichtsschreibung bei Leopold von Ranke, in: Leopold von Ranke und die moderne Geschichtswissenschaft, hg. v. W. J. MOMMSEN, Stuttgart 1988, 115–130.

[34]   Vgl. neben dem bereits genannten Beleg (wie Anm. 2) auch DERS., Gottesgericht und Menschengerechtigkeit bei Luther, in: Weltgeschichte und Gottesgericht (wie Anm. 1), 19: Luther hört auf die Geschichte „nicht wie ein neutraler Historiker, sondern mit den drängenden Fragen des Glaubenden, der weiß, worum es geht und der die Geschichte eben darum erkennen will, wie sie wirklich gewesen ist".

[35]   L. VON RANKE, Geschichten der romanischen und germanischen Völker, Leipzig ³1885, VII.

[36]   F. MEINECKE, Die Idee der Staatsräson in der neueren Geschichte, München u. a. 1924.

[37]   A.O. LOVEJOY, Reflections on the History of Ideas, JHI 1, 1940, (3–23) 3.

motion über Ambrosius von Mailand ist ja nicht einfach nur ein Stück traditioneller Personen-, Politik- und Ideengeschichte, sondern eine engagierte theologische Untersuchung zum Verhältnis von Religion und Politik. Da Ambrosius nach Campenhausen „überhaupt keine eindeutige Vorstellung vom Wesen des Christentums" hat, kann der Mailänder Bischof seiner Ansicht nach auch nicht wirklich zwischen dem Bereich des Glaubens und dem Bereich der politischen Realität des Lebens trennen[38]. Ob man diesen kritischen Maßstab Campenhausens nun auf seine lutherische Prägung, die Erfahrungen des Zeitgenossen der welthistorischen Wende von 1917/1918 oder auf die gegen den Historismus und seine Kontinuitätsvorstellungen gewendete Grundstimmung der späten zwanziger Jahre zurückführen möchte – interessant ist die tief ambivalente Bewertung der historischen Entwicklung hin zur Staatskirche des Mittelalters und folgender Zeiten in jedem Fall schon deswegen, weil sie einen charakteristischen Unterschied zur klassischen deutschen Ideengeschichtsschreibung markiert. Sie erinnert stärker an die Sicht der Marburger neutestamentlichen Lehrer Bultmann und von Soden, die in ihren Arbeiten die Vorstellung eines Bruchs zwischen der urchristlichen Verkündigung und der christlichen Kirche der folgenden Jahrhunderte, die schon bei Ritschl und Harnack dominiert, eher noch verschärft haben. Freilich hat Campenhausen Kirchengeschichte nie als direkte Verfallsgeschichte geschrieben.

Mir scheint daher, daß die Marburger Prägung nie in dem Sinn für Campenhausens Arbeit dominant geworden ist, daß er gleichsam zu den „Alten Marburgern" gezählt werden kann. Während man im Vorwort des erstmals 1926 publizierten Jesus-Buches von Bultmann lesen kann, daß der Autor den Leser dadurch nicht zu einer „Geschichts-Betrachtung", sondern „zu einer höchst persönlichen Begegnung mit der Geschichte" führen wollte[39], bleiben die Bezüge auf

---

[38] CAMPENHAUSEN, Ambrosius von Mailand (wie Anm. 20), 272 f.
[39] R. BULTMANN, Jesus, GTB 17, Gütersloh ³1977, 9. – Auch Bultmanns kritischer Einwand gegen Oscar Cullmann, man müsse streng zwischen Heils- und Weltgeschichte differenzieren, läßt sich mit Campenhausens lebenslangem Interesse an diesem Thema verbinden (DERS., Heilsgeschehen und Geschichte, ThLZ 73, 1948, [659–666] 662 [= DERS., Exegeti-

die Gegenwart und die Zumutungen an den Leser in Campenhausens
Œuvre so dezent, wie es dem Ideal der klassischen deutschen Geschichtsschreibung in der Tradition Herders und von Rankes entspricht. Und seine verschiedenen Arbeiten zur Ideengeschichte des
antiken Christentums folgen – wie gesagt – weder dem Modell einer
Verfallsgeschichte noch einem rein evolutorisch verstandenen Fort-
schrittsmodell, auch darin streng von den geschichtstheologischen
Prämissen Rudolf Bultmanns geschieden.

Selbstverständlich gibt es auch Gemeinsamkeiten zwischen Campenhausen und seinem lebenslang verehrten Marburger Lehrer: Beide haben – das wird vor allem in der „Entstehung der christlichen
Bibel" deutlich – von der dem Wort Gottes anhaftenden „Macht und
Autorität" gesprochen[40] und daher die wohl auf Kähler zurückgehen-
de Vorstellung von einer dadurch begründeten „Selbstdurchsetzung"
des biblischen Kanons verwendet. Aber ist dies wirklich ein besonderes Spezifikum der Theologie Bultmanns, das von Campenhausen
übernommen hat, oder nicht vielmehr ein Grundelement reformatori-
scher Theologie, dem in den zwanziger Jahren neue Aufmerksamkeit
zuteil wurde? Wenn dies zuträfe, müßte man zugespitzt sagen, daß
ein guter Teil der Gemeinsamkeiten von Campenhausens mit seinen
Marburger Lehrern Bultmann und von Soden gar nicht Spezifika dieser Theologen betraf, sondern Züge ihres Denkens, die diese mit der
theologischen wie historiographischen Tradition verbanden: Der
ideengeschichtliche Ansatz einiger Arbeiten von Sodens ist kein
Spezifikum der Theologie dieses Harnack-Schülers, ebensowenig
wie das Konzept des selbsttätig wirkenden Wortes Gottes, das von
Campenhausen an vielen Stellen voraussetzt, von Rudolf Bultmann
erfunden worden ist. Außerdem wendet sich Campenhausen mehr
oder weniger deutlich gegen ein isoliertes „bloßes Wort" als Grund-

---

ca. Aufsätze zur Erforschung des Neuen Testaments, ausgewählt, eingeleitet und hg. v. E.
DINKLER, Tübingen 1967, (356–368) 361]).
[40] CAMPENHAUSEN, Entstehung der christlichen Bibel (wie Anm. 13), 124.

figur evangelischer Kirchengeschichte[41] und spricht an dieser Stelle lieber vom vielfältigen Wirken des Heiligen Geistes.

Man kann zusammenfassend sagen, daß Campenhausen trotz aller Prägungen durch seine direkten Heidelberger wie Marburger Lehrer und die durch Elternhaus, Schule und eigene Lektüre vermittelte klassische deutsche historiographische Tradition einen sehr eigenständigen Entwurf einer Ideengeschichte des antiken Christentums vorgelegt hat. Daß er dabei die Trias der drei Normen, die nach Harnack für den sogenannten Frühkatholizismus konstitutiv sein sollen (Amt, Bekenntnis und Kanon), in den Mittelpunkt von drei großen Monographien stellen wollte, hat wenig mit einer direkten Prägung durch diesen großen Kirchenhistoriker zu tun – war doch dessen Modell dreier frühkatholischer Normen längst zum Allgemeingut zahlloser Darstellungen und Lehrbücher des antiken Christentums geworden und wurde durch von Campenhausen schon recht kritisch als „eine irreführende Abstraktion"[42] bezeichnet. Jüngst hat Reinhard Staats auch noch einmal lakonisch bemerkt, daß „die patristische Wissenschaft seit einem halben Jahrhundert nachgewiesen" habe, daß „es sich dabei um ein viel zu starres und unhistorisches Schema handelt, ... das so nicht stehen bleiben kann"[43]; solche Sätze scheinen mir durchaus in der Tradition und im Sinne von Campenhausens formuliert.

Aber soll man sich in diese Tradition überhaupt noch stellen? Auf den ersten Blick scheint Campenhausens dezidiertes Votum für eine ideengeschichtliche Rekonstruktion des Zusammenhangs zwischen Kirchen- und Universalgeschichte einer längst vergangenen Epoche kirchen- und profanhistorischer Theoriebildung anzugehören. Mag gelegentlich von einzelnen Kirchenhistorikern auch noch ein universalgeschichtlicher Anspruch, zum Teil theoretisch auch recht ambitioniert, vertreten werden, so hat sich das Fach faktisch

---

[41] Z.B. in H. FREIHERR VON CAMPENHAUSEN, Tradition und Geist im Urchristentum, in: DERS., Tradition und Leben (wie Anm. 1), (1–16) 7 f.

[42] CAMPENHAUSEN, Entstehung der christlichen Bibel (wie Anm. 13), 380, Anm. 6.

[43] R. STAATS, Ignatius und der Frühkatholizismus. Neues zu einem alten Thema, VuF 48, 2003, (80–92) 83.

doch längst mit dem Status einer partielle Fragestellungen allgemei-
ner Geschichte bearbeitenden Teildisziplin zufriedengegeben. Und
wenn man beispielsweise liest, wie Ulrich Wehler die Geschichte der
Historischen Sozialwissenschaft als Ablösung der klassischen Ideengeschichte stilisiert[44], dann scheint auch die klassische Ideengeschichte längst vergangen zu sein – scheint vergangen zu sein, denn
die augenblickliche Konjunktur einer erneuerten Ideengeschichte, die
gegenwärtig in der Geschichtswissenschaft und wohl implizit paral-
lel auch in der Kirchengeschichte zu beobachten ist, wurde ja schon
lange vorbereitet und ist nicht zuletzt durch Protagonisten der Historischen Sozialwissenschaft mit angestoßen worden. Ich denke vor allem an die „Geschichtlichen Grundbegriffe", das „Historische Lexikon zur politisch-sozialen Sprache in Deutschland", das nicht zuletzt
in Heidelberg geplant wurde und dort auch entstand. Auch wenn es
keinen Artikel zum Lemma „Idee" in dem großen Wörterbuch gibt
und die Einleitung von Reinhart Koselleck das alte Stichwort
„Ideengeschichte" sorgfältig vermeidet, werden hier die wichtigsten
philosophischen, politischen und sozialen Ideen in ihrem neuzeit-
lichen Wandel behandelt, von Adel bis Verfassung[45]. Angesichts solcher kontinuierlicher ideengeschichtlicher Arbeit auch im Lager der
Kritiker der klassischen Ideengeschichte war es in gewisser Weise
konsequent, daß „Geschichte und Gesellschaft", die von Wehler und
anderen herausgegebene „Zeitschrift für Historische Sozialwissenschaft", im Frühjahr des Jahres 2001 ein Themenheft über „Neue
Ideengeschichte" herausbrachte und darin die internationale Renais-
sance der Ideengeschichte dokumentierte[46]. Als Weg „von der Spül-

---

[44] U. WEHLER, Die Herausforderung der Kulturgeschichte, Beck'sche Reihe 1276, München
1998, 142.

[45] O. BRUNNER/W. CONZE/R. KOSELLECK, Einleitung, in: GGB, Bd. 1, Stuttgart 1972, XIII–
XIV; vgl. auch G. LOTTES, „The State of the Art". Stand und Perspektiven der „intellectual
history", in: Neue Wege der Ideengeschichte. FS für Kurt Kluxen, hg. v. F.-L. KROLL, Paderborn u. a. 1996, (27–45) 32–35. Das Register der GGB, Bd. 8/1, Stuttgart 1997, nennt
s. v. Idee immerhin eine ganze Reihe von Belegen: S. 560–564.

[46] P. BOURDIEU hielt schon 1996 den Gegensatz von Ideen- und Sozialgeschichte für einen
„fiktiven intellektuellen Gegensatz" (DERS. im Gespräch mit L. RAPHAEL, Über die Beziehungen zwischen Geschichte und Soziologie in Frankreich und Deutschland, GuG 22,
1996, [62–89] 84).

küche ins Wohnzimmer" hat ein englischer Historiker die neue Karriere der Ideengeschichte bezeichnet, die dort besonders auf Cambridger Historiker zurückgeht und älter als hierzulande ist[47]. Die neue Ideengeschichte unterscheidet sich von der klassischen, indem sie sowohl den linguistic turn als auch den cultural turn der Geisteswissenschaften mitgemacht hat und daher stärker die linguistischen Fallen und die kulturgeschichtlichen Kontexte wie Bedingtheiten der Ideen beachtet[48]. Aber schon einem Liturgiegeschichtler sollte beispielsweise die Unterscheidung von lokutionären und illokutionären Akten nicht sonderlich schwer fallen[49].

Angesichts der neuen Konjunktur der Ideengeschichte in Deutschland und darüber hinaus wirkt dieser Schwerpunkt im Œuvre Hans Freiherr von Campenhausens also überraschend modern. Seine

---

[47] E. HELLMUTH/CH. VON EHRENSTEIN, Intellectual History Made in Britain: Die Cambridge School und ihre Kritiker, GuG 27, 2001, (149–172) 149.

[48] Vgl. auch die Definition in der Selbstvorstellung des seit 1997 geförderten Schwerpunktprogramms „Ideen als gesellschaftliche Gestaltungskraft im Europa der Neuzeit" (SPP 1024 der DFG): „Dabei werden Ideen als ‚gedachte Ordnungen' verstanden, die nach den Bedingungen ihrer Konstitution, in ihrer unterschiedlichen Gestalt – als Heils- oder Bildungswissen, Alltags- oder wissenschaftliches Wissen, Symbolstrukturen oder Glaubenssysteme – und in ihrer historischen, sozialen und/oder individuellen Funktion analysiert werden. Die Projekte sollen die gesellschaftliche Gestaltungskraft von Ideen untersuchen und dabei methodologisch vor allem die Wirkungsfrage behandeln, und zwar in unterschiedlicher Richtung: (a) Ideen in ihrer Gestalt und Funktion als historisch folgenreiche Deutungssysteme und Denkstile von Individuen, Gruppen oder Institutionen, (b) Ideen in den für sie typischen, regional oder gesellschaftlich definierten Verbreitungs- und Kommunikationsprozessen sowie (c) Ideen in ihrer Bedeutung für Wissens- und Wissenschaftsordnungen" (im Internet zugänglich unter http://www.innovations-report.de/html/berichte/ dfg_geisteswissenschaften/bericht-22007.html; letzter Zugriff 7.3.2007).

[49] Q. SKINNER, Meaning and Understanding in the History of Ideas, HTh 8, 1969, 3–53; LOTTES, „The State of the Art" (wie Anm. 45), 39 f.; vgl. auch E. BEUCHELT, Ideengeschichte der Völkerpsychologie, Kölner Beiträge zur Sozialforschung und angewandten Soziologie 13, Meisenheim am Glan 1974; M. ELIADE, Geschichte der religiösen Ideen, Bd. 1 Von der Steinzeit bis zu den Mysterien von Eleusis, Freiburg/Breisgau 1978; Das Gehirn – Organ der Seele? Zur Ideengeschichte der Neurobiologie, hg. v. E. FLOREY/O. BREIDBACH, Berlin 1993; W. KUHN, Ideengeschichte der Physik. Eine Analyse der Entwicklung der Physik im historischen Kontext, Braunschweig/Wiesbaden 2001; I. STAHLMANN, Von der Ideengeschichte zur Ideologiekritik. Lothar Wickerts Beitrag zum Verständnis des Augusteischen Prinzipats, AAWLM.G 9/1991, Stuttgart 1991 sowie P. U. UNSCHULD, Medizin in China. Eine Ideengeschichte, München 1980.

Geschichte der Idee des Martyriums enthält eine ausführliche Begriffsgeschichte des „maßgebenden Hauptworts martys (μάρτυς)"[50],
die auch für einen kritischen Linguisten wertvolle Beobachtungen
enthält, auch wenn eine kulturgeschichtliche Vertiefung im Sinne
neuerer amerikanischer Arbeiten natürlich noch fehlt. Gleiches gilt
für die Arbeiten zur Idee der christlichen Bibel und zu Glaubensregel
wie Bekenntnis: Natürlich treten hier neben die Arbeit Campenhausens heute die neueren Untersuchungen über die christlichen Bibliotheken, die Lesezyklen der Gottesdienste und die biblischen Papyri
wie Codices oder die jüngeren Monographien zum Zusammenhang
von Liturgie und Bekenntnis. Aber für revolutionär neu kann solche kulturgeschichtlichen Vertiefungen traditioneller ideengeschichtlicher Arbeit nur der halten, dem nicht aufgefallen ist, daß die Kulturgeschichte vielfach nur im neuen Gewand – französischer und
amerikanischer Provenienz – zurückbringt, was dorthin einst aus
Deutschland gekommen ist.

Wenig zeitgemäß wirkt daher für gelehrte Kritiker auch weniger
der ideengeschichtliche Zugriff Freiherr von Campenhausens als
vielmehr seine deutliche Verwurzelung in einem paulinisch gefärb-
ten reformatorischen Christentum. Dieser Hintergrund prägt besonders deutlich die Wertungen seiner Griechischen und Lateinischen
Kirchenväter, wird dort freilich in dem von Zuneigung zur Person
geprägten Kapitel über Synesius von Cyrene ironisch gebrochen:
„Alles an Synesios wirkt gesund, harmonisch und rein."[51] Campenhausen war wie vier seiner Heidelberger Kollegen seit 1947 und bis
1978 zwar aktives Mitglied des Ökumenischen Arbeitskreises deutscher evangelischer und katholischer Theologen[52], aber hat die spezifische reformatorische Prägung seines historischen Arbeitens niemals

---

[50] CAMPENHAUSEN, Die Idee des Martyriums (wie Anm. 12), 22.
[51] H. FREIHERR VON CAMPENHAUSEN, Griechische Kirchenväter, UB 14, Stuttgart u. a.
      [6]1981, 126; DERS., Die theologische Eigenart der lateinischen Kirchenväter, in: K. BÜCH-
      NER u. a., Römische Welt und lateinische Sprache heute, VKAEF 31, Karlsruhe 1977, 47–
      56.
[52] B. SCHWAHN, Der Ökumenische Arbeitskreis evangelischer und katholischer Theologen
      von 1946 bis 1975, FSÖTh 74, Göttingen 1976, 46; eine Aufstellung der veröffentlichten
      Referate Campenhausens auf S. 415.

wesentlich geändert oder gar abgelegt. Das bemerkt man besonders deutlich in den Aufsätzen über Jungfrauengeburt und apostolische Sukzession, die mit den Diskussionen des Arbeitskreises in mehr oder weniger engem Zusammenhang stehen[53]. Allenfalls eine noch einmal gesteigerte Aufmerksamkeit für die Tradition als „Kraft der Kirchengeschichte" bei Campenhausen mag auf das Gespräch mit den katholischen Kollegen zurückzuführen sein[54]. Wenn von Campenhausen in seinem Nachruf auf Hans von Soden schreibt, daß die „‚geschichtliche Gerechtigkeit' das eigene theologische Urteil weder ersparen noch ersetzen, wohl aber klären und vertiefen kann", dann hat er wohl hier auch das eigene Ideal einer gegenseitigen Durchdringung von strenger historischer Arbeit und reformatorisch profilierter theologischer Position formuliert. Ein solches Ideal und allzumal der deutliche Akzent auf einer reformatorisch profilierten theologischen Position ist heute umstritten und längst nicht mehr Konsens, vor allem unter jüngeren Kollegen. Ich persönlich glaube allerdings nicht, daß die evangelische Kirchengeschichte sonderlich gut beraten wäre, ihre besondere theologische Orientierung an der reformatorisch gelesenen Theologie des Apostels Paulus zugunsten einer ökumenischen Einheitstheologie oder einer Konfessions- oder gar Religionsneutralität aufzugeben – dieses ihr Vorurteil, wenn es denn ein reflektiertes Vor-Urteil im Sinne einer berühmten Heidelberger Hermeneutik ist, prägt vielmehr das charakteristische Profil unseres Faches aus, das es im Konzert anderer Wissenschaften interessant macht, die sich mit dem antiken Christentum beschäftigen. Und wenn man liest, wie Jürgen Kocka und Thomas Nipperdey vor

---

[53] H. FREIHERR VON CAMPENHAUSEN, Die Jungfrauengeburt in der Theologie der Alten Kirche, in: DERS., Urchristliches und Altkirchliches (wie Anm. 16), 63–161 (= SPAW.PH 1962/2, Heidelberg 1962); DERS., Die Nachfolge des Jakobus. Zur Frage eines urchristlichen „Kalifats", in: DERS., Aus der Frühzeit des Christentums (wie Anm. 10), 135–151; DERS., Lehrerreihen und Bischofsreihen im 2. Jahrhundert, in: In Memoriam Ernst Lohmeyer, hg. v. W. SCHMAUCH, Stuttgart 1951, 240–249.

[54] Wie er über die „Geschichte der Kirche in ideengeschichtlicher Betrachtung" dachte, die sein katholischer Kollege Joseph Lortz aus dem Jaeger-Staehlin-Kreis in vielfachen Auflagen zuletzt vollkommen neubearbeitet 1962 veröffentlichte (J. LORTZ, Geschichte der Kirche in ideengeschichtlicher Betrachtung, Bd. 1 Altertum und Mittelalter, Münster [21]1962), weiß ich leider nicht.

Jahren über Standortgebundenheit in kritischer Geschichtswissenschaft disputiert haben, dann hat man zudem den Eindruck, daß solche Debatten keinen Sonderdiskurs der konfessionellen Kirchengeschichten darstellen[55].

Es bleibt, am Schluß meiner Bemerkungen noch einmal auf Campenhausens leitendes Interesse am Zusammenhang zwischen Kirchen- und Universalgeschichte einzugehen, dem alle seine ideengeschichtliche Arbeit dienen will. Campenhausen hat diesen Zusammenhang mit aller Energie festhalten wollen und beispielsweise seine eingangs erwähnte Rektoratsrede im Herbst 1946 mit der Frage geschlossen, „ob und wie sich eine Weltgeschichte ohne den beherrschenden christlichen Gesichtspunkt tatsächlich noch als eine Einheit verstehen und behandeln läßt". Entsprechend hat er eine solche Weltgeschichte von christlichem Standpunkt als originäre Aufgabe des Kirchenhistorikers bezeichnet und betont, daß dieser auch in der Gegenwart keine Veranlassung habe, diese Aufgabe fahren zu lassen[56]. Liest man freilich genauer, wird deutlich, daß Campenhausen sehr wohl wahrgenommen hat, daß die Einheit der Weltgeschichte, wie sie die klassische deutsche Geschichtswissenschaft auf idealistischer Grundlage noch zu rekonstruieren wußte, längst zerbrochen war. Der Gelehrte, den wir heute ehren, war sich vollkommen darüber klar, wie weit der Weg zu einer erneuerten Welt- und Universalgeschichte sein würde, und hat dies schon 1946 öffentlich erklärt. Ich muß gestehen, daß ich über dieses Monitum, mit dem Campenhausen uns Kirchenhistoriker auf die Universalgeschichte hinweist, schon länger grüble, vielleicht gerade deswegen, weil ich meine ei-

---

[55] J. KOCKA, Legende, Aufklärung und Objektivität in der Geschichtswissenschaft. Zu einer Streitschrift von Thomas Nipperdey, GuG 6, 1980, 449–455 und TH. NIPPERDEY, Geschichte als Aufklärung, Die Zeit, Nr. 9, 22.2.1980, 16. – Einen anderen Eindruck gewinnt man bei R. VAN DÜLMEN, Religionsgeschichte in der Historischen Sozialforschung, GuG 6, 1980, 36–59. Hier wird das Vorurteil erneuert, die theologischen Prämissen der Kirchengeschichte würden verhindern, daß man „die Religion wie andere Kulturen als gesellschaftliche Produkte begreift und über kirchliche Organisation und theologische Lehre hinaus den wirklichen Glauben und das religiöse Verhalten der Menschen als soziales Handeln der Reflexion unterzieht" (ebd., 37).

[56] CAMPENHAUSEN, Augustin und der Fall von Rom (wie Anm. 1), 271.

gene Arbeit weder faktisch so angelegt habe noch theoretisch so begreife. Und so höre ich als Vertreter der Generation, die vielfach vor den Trümmern der großen Erzählungen steht, Campenhausens Mahnungen als Fragen: Sind wir, die Nachgeborenen, auf dem Weg zu einer erneuerten Welt- oder Universalgeschichte überhaupt vorangekommen? Haben wir uns um eine solche Gesamtschau – oder um es mit geringfügig moderneren Begriffen zu formulieren – um die „histoire totale" überhaupt bemüht? Oder haben wir allerlei schöne Blumen auf den Nebenwegen abgepflückt und dazu den von Campenhausen markierten Hauptweg verlassen, vielleicht sogar manchmal, ohne es überhaupt zu merken?

Das eben zitierte Stichwort der „histoire totale", das aus der zweiten Generation einer bekannten französischen Historikerschule stammt, zeigt immerhin, daß dem Ideal einer umfassenden lebendigen Vergegenwärtigung der Vergangenheit auch verpflichtet sein kann, wer von ganz anderem Hintergrund als Hans Freiherr von Campenhausen herkommt und an diese Aufgabe bewegt von den Fragen seiner Gegenwart geht[57]. So spannend es wäre, in Fortsetzung dieser letzten Bemerkungen nun Campenhausen mit Historikern wie Fernand Braudel, Otto Gerhard Oexle und Michael Borgolte in Beziehung zu setzen – ich breche exakt an dieser Stelle ab, weil ich hoffentlich schon genügend gezeigt habe, daß man nicht nur mit Campenhausen Geschichte des Christentums so „von neuem vor uns" hinstellen kann, „als ob es gestern gewesen wäre"[58], sondern auch sein Zugriff auf die Kirchengeschichte in gewisser Weise selbst zum Bleibenden im Wandel der Kirchengeschichte gehört.

---

[57] M. BORGOLTE, „Totale Geschichte" des Mittelalters? Das Beispiel der Stiftungen, Antrittsvorlesung vom 2. Juni 1992, Humboldt-Universität zu Berlin (als Manuskript gedruckt), 7; O. G. OEXLE, Das Andere, die Unterschiede, das Ganze. Jacques Le Goffs Bild des europäischen Mittelalters, Francia 17, 1990, (141–158) 141 f.

[58] CAMPENHAUSEN, Augustin und der Fall von Rom (wie Anm. 1), 253 f.

Über Einheit in Staat und Kirche

von Albrecht Dihle

Daß ich in diesen Stunden, die wir dem Gedenken Hans von Campenhausens widmen, einen Vortrag halten darf, empfinde ich als große Auszeichnung, für die ich sehr dankbar bin. Mein Dank an die Theologische Fakultät hat aber einen weiteren, besonderen Grund darin, daß mir die Gelegenheit gegeben wurde, die lebendige Erinnerung an den Christen und den Gelehrten, die ich im Herzen trage, auch öffentlich zu bekunden. Über lange Jahre, seit dem Jahr 1957, hat Hans von Campenhausen mit nie erlahmender Anteilnahme und väterlichem Wohlwollen meinen Weg begleitet. In meiner Heidelberger Zeit habe ich wohl keinen Aufsatz veröffentlicht, den ich nicht zuvor mit ihm besprochen hätte. Wenn ich im Rückblick auf diese Jahre von Freundschaft sprechen darf, dann mit dem Respekt und im Bewußtsein geistiger Rangordnung, wie es Matthias Claudius auf die Nachricht vom Tode Lessings zum Ausdruck brachte: Ich kann nicht sagen, ob ich sein Freund gewesen, aber er war der Meine.

Hans von Campenhausen war, wir haben es eben erläutert bekommen, ein scharfsinniger, produktiver und vielseitiger Gelehrter. Aber man darf neben seiner wissenschaftlichen Leistung nicht die literarische vergessen, sein ungewöhnliches, durch umfassende Lektüre kultiviertes Sprach- und Stilgefühl. Wo wird wohl mündliche Überlieferung so meisterhaft nacherzählt wie in seiner kleinen Sammlung theologischer und klerikaler Anekdoten? Diese literarische Ader, verbunden mit souveräner Kenntnis der Quellen, befähigte ihn, mit festen Strichen und in strenger Konzentration auf das Wesentliche, komplexe Vorgänge einer großen Leserschaft verständlich zu machen. Auch die Fachwelt empfängt von diesen Beiträgen aus seiner Feder vielerlei Anregung, vermitteln sie doch den Stoff unter originellen Gesichtspunkten und laden zum Weiterdenken ein. Gestatten Sie mir darum, an einen solchen seiner Aufsätze anzuknüpfen.

In einem repräsentativen Werk[1] zur Geschichte und Kultur der
Spätantike hat kürzlich ein amerikanischer Historiker die Bedeutung
der konstantinischen Wende für das weitere Schicksal der Kirche behandelt. Dabei kommt unweigerlich ein bekanntes Phänomen zur
Sprache, nämlich die Unversöhnlichkeit, mit der sich christliche Vertreter verschiedener Lehrmeinungen gegenüberstanden, seit ihr Streit
das Staatsinteresse berührte. Differenzen dieser Art hatte es unter den
Christen schon lange vorher gegeben, aber durch die Beteiligung
Kaiser Constantins erhielten sie ein ganz neues Gewicht. Hans von
Campenhausen hatte das schon 1973 ausgeführt, das Phänomen jedoch genauer und umfassender gedeutet[2], und ich darf seinen Beitrag
hier in aller Kürze referieren.

Die Christen empfanden anfangs die Einheit ihrer Glaubensge-
meinschaft offenbar nicht als Problem. Sie waren auf viele selbstän-
dige, miteinander nicht durch geregelte Kommunikation verbundene
Einzelgemeinden verteilt, und es fehlte die übergreifende Lehrautori-
tät. Die früh bezeugte Trennung von Vertretern abweichender Mei-
nungen im Umkreis einer Einzelgemeinde brauchte unter diesen Bedingungen das Bewußtsein der Einheit mit der übrigen Christenheit
nicht zu berühren. Es gründete sich auf das schlichte, gemeinsame
Christusbekenntnis, die Grundlage eines neuen Verständnisses der
heiligen Schriften des Alten Bundes, in denen sich der Weltschöpfer
als Gott Israels offenbart hatte. Campenhausen sieht dieses Einheits-
bewußtsein vor allem darin bestätigt, daß die Divergenzen in Ritus
und Lehre, die von Anfang an nicht fehlten, selten zum Entstehen
langlebiger Sonderkirchen geführt haben. Die meisten judenchrist-
lichen und gnostischen Gruppen verschwanden schnell. Dann nahm
die gemeindliche Organisation festere, aber nicht überall die gleichen
Formen an, die Kommunikation unter den Gemeinden bis hin zu re-

---

[1]   R. LIM, Christian Triumph and Controversy, in: Late Antiquity. A Guide to the Post-
      Classical World, ed. by G. W. BOWERSOCK a. o., Cambridge MA 1999, 196–218. Eine
      gute Bibliographie zum Verhältnis zwischen Kirche und Kaiser findet sich bei P. JUST, Im-
      perator et Episcopus, Potsdamer altertumswissenschaftliche Beiträge 8, Wiesbaden 2003.
[2]   H. VON CAMPENHAUSEN, Einheit und Einigkeit in der Alten Kirche, EvTh 33, 1973, 280–
      293 (= DERS., Urchristliches und Altkirchliches, Tübingen 1979, 1–19).

gionalen Synoden wurde reguliert. Dabei erwiesen sich einzelne Gemeinden und ihre Leitung als besonders angesehen und einflußreich. Dennoch blieb das alte Bewußtsein der Einheit unverändert bestehen, und zwar ohne eine allgemein anerkannte, einheitsstiftende Weisungsinstanz. Naheliegende Versuche, Fragen des Ritus und des Glaubens autoritär über die Grenzen der eigenen Gemeinde hinweg zu entscheiden und dafür gar Gehorsam zu fordern, stießen noch bei Irenäus und Cyprian auf Widerspruch. Bis an die Schwelle des vierten Jahrhunderts blieb die Entstehung relativ langlebiger Sonderkirchen wie der Markioniten und der Novatianer die Ausnahme, trotz einer zunehmend differenzierten Theologie, der Ausprägung regionaler Eigenheiten und der daraus entstehenden Kontroversen. Außerdem: Ein Meinungsstreit konnte nur innerkirchlich mit den Mitteln des Wortes ausgetragen werden, mit dem einzigen Ziel einer Bewahrung der Einheit. Der wichtigste Grund für diesen Erhalt des Einheitsbewußtseins unter den geschilderten, nicht durchweg günstigen Bedingungen lag nun darin, so Campenhausen, daß die Christen sich hier auf der Erde als Fremde betrachteten, die sich den Erwartungen ihrer Mitwelt nicht fügten, einerlei, ob man sie verfolgte oder gewähren ließ. Die Christen lebten, modern gesprochen, während der ersten drei Jahrhunderte außerhalb des gesellschaftlichen Konsenses und waren schon deshalb ganz auf sich selbst gewiesen. Das änderte sich unter Constantin, der Kirche und Welt im Rahmen des Kaiserstaates in eine Symbiose drängte. Jetzt blieb die Welt nicht länger fremd, denn die Lehre der Kirche entwickelte sich zur religiösen Grundlage des gesellschaftlichen Zusammenhaltes und damit die Eintracht in der Kirche zu einer politischen Notwendigkeit. Kontroversen innerhalb der Kirche betrafen nicht mehr allein die Christen, und Abspaltungen erhielten eine neue, den Kaiserstaat berührende Bedeutung. Die Abweichung vom kaiserlich sanktionierten Einigungsbeschluß eines Konzils kündigte nun den gesellschaftlichen Konsens auf, denn wie in allen vormodernen Gemeinwesen galt idealiter auch für das Römerreich die Identität von Staatsvolk und Kultgemeinschaft. Eine Dissidentengruppe begab sich also nunmehr in die Situation der

Christen vorkonstantinischer Zeit. Soweit das Referat der ebenso souveränen wie knappen Darstellung Campenhausens.

Constantin hatte erkannt, welche Kraft die Kirche in den Krisenjahren des Reiches im dritten Jahrhundert und dann in der diokletianischen Verfolgung gezeigt hatte. Sie war zum stabilisierenden Faktor im Reich geworden, und ihre Bischöfe hatten das entsprechende Ansehen gewonnen, auch und gerade in der Distanz zum Kaiserstaat. Darum schlug der Kaiser in aller Behutsamkeit einen Weg ein, auf dem die Einheit von Staatsvolk und Kultgemeinschaft durch die Vereinigung von Kaisertum und christlicher Religion neu hergestellt werden konnte. Es bedurfte aber der unbestreitbaren Einheit der Kirche, wenn sie die religiöse Basis der politischen Ordnung abgeben sollte. So kam es, daß die Geschichte des spätantiken Römerreiches erfüllt ist vom Bemühen der Kaiser, die Einheit in der Kirche zu erhalten oder wiederherzustellen. Das führte darüber hinaus zu fortschreitender Verknüpfung kirchlicher, staatlicher und gesellschaftlicher Angelegenheiten, vom Bildungswesen bis zur Übernahme munizipaler Aufgaben durch die Ortsbischöfe. Eine christliche Dissidentengruppe, nunmehr in der Rolle der vorkonstantinischen Kirche, mußte entweder ihre Identität gegen den herrschenden Konsens behaupten oder ihr Heil außerhalb der Reichsgrenzen suchen. Beides kann man an der Geschichte der Monophysiten demonstrieren. Weil sie sich im gesamten Reichsgebiet nicht durchsetzen konnten und wiederholte Bemühungen mehrerer Kaiser um eine Kompromißformel scheiterten, vermochten sie, ähnlich wie die Nestorianer vor ihnen, letztlich nur außerhalb des Römerreiches zu überleben. Dort aber, anders als Judenchristen, Gnostiker oder auch Markioniten, Novatianer und Montanisten innerhalb des Reiches, hielten sie sich über viele Jahrhunderte. Daß dann nach der definitiven Verselbständigung einer Sonderkirche im Bewußtsein ihrer Anhänger ethnische, sprachliche, politische oder liturgische Unterschiede die dogmatischen Positionen, also den Anlaß der Abspaltung, überlagerten, steht auf einem anderen Blatt[3].

---

[3] Zur Verselbständigung der orientalischen Kirchen und zu ihren Voraussetzungen vgl. H. CHADWICK, The Church in Ancient Society. From Galilee to Gregory the Great, Oxford 2001, 592–632.

Richtet man nun das Augenmerk auf die Maßnahmen und das Verhalten der Kaiser, die im Laufe des vierten Jahrhunderts n.Chr. die Einheit der Kirche erzwingen wollten, so stößt man auf einen wichtigen Unterschied. Constantin ging in der Religionspolitik anfangs recht vorsichtig zu Werk, wenn auch an seiner von Anfang an prochristlichen Zielsetzung wohl kein Zweifel besteht[4]. Das zeigt unter anderem die früh einsetzende Christianisierung des Verwaltungsapparates, die sich auf die Oberschicht auswirkte. Aber nicht nur im Umgang mit der alten Religion, sondern auch bei den Bemühungen um die Einheit der Kirche bediente sich der Kaiser anfangs sanfter Mittel, etwa gutes Zureden, materielle Zuwendungen, Erteilung von Privilegien an die Bischöfe, die er in gut römischer Tradition als Oberschicht und darum als Verhandlungspartner ansah.

Der anfängliche Verzicht Constantins, im arianischen Streit kaiserliche Machtmittel einzusetzen, ist zwar schon deshalb verständlich, weil er hier, anders als im Fall der Donatisten Nordafrikas[5], die öffentliche Ordnung nicht unmittelbar bedroht sah. Aber auch voreilige Parteinahme im Meinungsstreit hätte seine Position als Vermittler im Ringen um kirchliche Einheit gefährden können. Die

---

[4]   Die frühe und eindeutige Entscheidung Constantins für das Christentum betont nach Timothy Barnes und anderen auch H. G. THÜMMEL, Eusebius und Constantin, Klassensitzungsvorträge 1995–1999, hg. v. J. DUMMER und J. KIEFER, Akademie gemeinnütziger Wissenschaften zu Erfurt. Geisteswissenschaftliche Klasse. Sitzungsberichte 4, 2000, Erfurt 2002 (= 2003), 105–145, bes. 141 f.

[5]   Grundlegend zum Donatistenstreit W.H.C. FREND, The Donatist Church, Oxford ²1971. Das frühe Eingreifen des Kaisers war zunächst im Jahre 312 vom Streit um die Eigentumsrechte zwischen den beiden Kirchen verursacht. 314 appellierten die Donatisten gegen die Beschlüsse der Synode von Arles, die sich ihrerseits auf die kaiserliche Strafgewalt bezogen hatte (can. 13/14), an den Kaiser. Spätestens 315 gab es gewalttätige Unruhen in Numidien (Urkd. Nrr. 14; 18 [VON SODEN]). Vgl. auch H. LIETZMANN, Geschichte der Alten Kirche. Mit einem Vorwort von CH. MARKSCHIES. 4./5. Auflage in einem Bd., De-Gruyter-Studienbuch, Berlin/New York 1999, 722–722 (= Bd. 3, 68–79). Auch die von Constantin verfügte erste Verbannung traf Athanasius als einen Aufrührer und Unruhestifter, nicht aus kirchlichen Gründen (Soz., h. e. II 31,2 f.). Athanasius selbst betont Constantins Zurückhaltung in kirchlichen Kontroversen (apol. sec. 61/62), die im Gegensatz zum Verhalten Constantius' II. stand (h. Ar. 36,2; 51,2). Dieser ließ den unkanonisch bestallten Bischof Gregorius gar mit militärischer Gewalt einsetzen (h. Ar. 14,1; apol. sec. 30,1; vgl. u. Anm. 13).

wiederholten Mahnungen zur Eintracht, zur Homonoia, in seinen Sendschreiben lassen zudem erkennen, daß er die kirchlichen Verhältnisse der vorangegangenen Zeit kannte und auf eine innerkirchliche Schlichtung des Streites ohne das Resultat einer langdauernden Spaltung hoffte. Schon früh hatten ja gerade Christen ihre Einmütigkeit der Vielfalt philosophischer oder gnostischer Lehren gegenübergestellt[6].

Freilich bedeutete ein christliches Fundament politischer Ordnung etwas entscheidend Neues. In den Augen der paganen Bevölkerungsmehrheit genügte in Übereinstimmung mit einer langen Tradition ein gemeinsamer Vollzug des Kultes der geforderten Einheit des politischen Gemeinwesens im Verhältnis zur Gottheit, auf deren Schutz man sich angewiesen wußte. Mythologische Phantasie und philosophische Reflexionen auf das Wesen der Gottheit, also auch mögliche Sinngebungen des kultischen Geschehens, hatten freien Spielraum und brauchten, so verschieden sie ausfielen, die Einheit der Kultgenossen nicht zu gefährden. Die alte Theorie einer theologia tripartita[7] scheidet demzufolge den politisch bedeutsamen Kult von der poetisch-mythologischen Erfindung und der philosophischen Götterlehre. Die von Eusebius und anderen Kirchenhistorikern überlieferten Schriftstücke aus der Kanzlei Constantins enthalten sowohl Komplimente für bewahrte Eintracht als auch vor allem Mahnungen. Darin begegnet auch das Argument, daß die strittigen dogmatischen Fragen doch die gemeinsame Religion nicht wirklich berühren[8]. So

---

[6] Der 1. Clemensbrief spricht immer wieder von der christlichen Homonoia: Sie hat Vorbilder im Alten Bund (9,4; 11,2) und der Schöpfungsordnung (20,3–21,1), ist Ausdruck der Liebe (49,5; 50,5) und notwendig für alle Menschen (60,4–81,1), gehört zum Frieden (63,2; 65,1) und drückt sich in der Übereinstimmung im Glauben aus (51,2). Für Ignatius (Eph. 4) zeigt sich die Eintracht der Christen in der Übereinstimmung mit ihrem Bischof, und er vergleicht sie mit den gestimmten Saiten eines Musikinstrumentes. Das Kontrastbild liefert die Uneinigkeit unter Philosophen und Gnostikern (Tat., orat. 2 f., 25; Diogn. 8; Iren., haer. IV 18,4–19,3). Vgl. K. OEHLER, Der Consensus omnium als Kriterium der Wahrheit in der antiken Philosophie und der Patristik, AuA 10, 1961, 103–130.

[7] Vgl. A. DIHLE, Die Theologia tripartita bei Augustin, in: Geschichte – Tradition – Reflexion. FS M. Hengel zum 70. Geburtstag, hg. v. H. CANCIK, Bd. 2, Tübingen 1996, 184–202.

[8] Sowohl in den Berichten des Eusebius und seiner Nachfolger über die Kirchenpolitik Constantins als auch in den dort erhaltenen Urkunden des Kaisers begegnet kaum ein Motiv so

ungewohnt war also anfangs in griechisch-römischer Umwelt das heute geradezu selbstverständliche Postulat, die Einheit einer religiösen Gemeinschaft nicht nur auf den gemeinsamen Vollzug des Kultes, sondern auch auf die allgemeine Zustimmung zu Glaubensinhalten oder -lehren zu beziehen. Diese Forderung stammt aus der buchreligiösen Tradition, die Juden und Christen teilten, ohne daß das bei jenen freilich dieselbe Bedeutung wie bei den Christen erhalten hätte. Für diese aber, freilich nur, soweit sie der griechisch-lateinischen Tradition zuzurechnen sind, begründet bis heute eine Betonung der in philosophischen Begriffen definierten Rechtgläubigkeit den bestimmenden Einfluß der Theologie auf das religiöse Leben. Unter den Bedingungen der antiken Welt indessen ließ das Gewicht, das der Lehre zukam, die christliche Religion in den Augen ihrer Bekenner wie ihrer Gegner als Philosophie erscheinen. Philosophie galt in jenen Tagen als Anweisung zum rechten Leben, zwar von Wissenschaft und Gelehrsamkeit verschieden, aber in verstandesmäßig konzipierter und faßbarer, systematischer Lehre vermittelt. Das Christentum als Philosophie anzusehen, lag vollends nahe, weil damals die Philosophen schon seit geraumer Zeit ihre zum rechten Leben führende Lehre genau wie Christen und Juden aus der sorgfältigen Interpretation autoritativer Schriften gewannen[9]. Die christliche Verknüpfung einer solchen Lehrtradition mit verbindlicher, gleichfalls zum rechten Leben notwendiger kultischer Praxis war indessen der paganen Welt fremd. Die Einmütigkeit der Christen, die Constantin und seine Nachfolger erstrebten, bedeutete demnach mehr, als viele ihrer paganen Vorgänger im Sinn hatten, wenn sie ihre Herr-

---

häufig wie das der Homonoia. In diesen Zusammenhang gehören Aussagen über die relative Bedeutungslosigkeit dogmatischer Differenzen (v. C. II 71,5), über die Selbstbeschränkung des Kaisers auf Lob und Tadel (v. C. I 44; II 13), die in den Urkunden immer wieder Ausdruck finden (v. C. III 18,5; 30; 60). Dazu treten Hinweise auf die allgemein-politische Bedeutung der Homonoia, derentwegen sich der Kaiser für die christliche Religion entschieden habe (v. C. II 57; 65).

[9]   Zur Klassifizierung der christlichen Religion als Philosophie vgl. A. DIHLE, Theologia philosophousa, in: Hairesis, FS K. Hoheisel zum 65. Geburtstag, hg. v. M. HUTTER/W. KLEIN/U. VOLLMER, JbAC.E 34, Münster 2002, 99–106 mit weiterer Literatur.

schaft religionspolitisch mit der Förderung einer für alle verbind-
lichen Teilnahme am Kult zu festigen suchten.

Wie vorsichtig Constantin zu Werke ging, wenn die öffentliche
Ordnung nicht bedroht war, zeigt sein Verhalten als Schlichter und
„Bischof für die äußeren Angelegenheiten". Er vermied es, durch
selbstherrliche Eingriffe das neue, noch ungefestigte Bündnis mit der
Kirche zu gefährden. Er befleißigte sich im Verkehr mit Klerikern
eines Respekts und einer Vertraulichkeit, die nach der diokletianischen Neugestaltung des Zeremoniells, das die sakrale Würde des
Kaisers ausdrückte, fast unvorstellbar erschienen[10]. Sogar gegenüber
einem obstinaten Bischof der kleinen, wenig einflußreichen Kirche
der Novatianer versagte er sich ein Machtwort. Als dieser sich höf-
lichen Mahnungen, der vereinbarten Glaubensformel beizutreten,
verschloß, sagte der Kaiser nur, dann solle er sich eben eine Leiter
kaufen und selbständig in den Himmel steigen[11]. Gewiß hat Eusebius, der die konstantinische Wende als ein Ereignis von eschatologi-
scher Bedeutung deutete und dem Kaiser eine entsprechende Verehrung entgegenbrachte, derartige Züge im Bild des auf anderen
Feldern recht rigorosen Herrschers über Gebühr hervorgehoben. In
der Sache unglaubwürdig wirkt seine Darstellung aber nicht, wenn
man sich Ziele und Möglichkeiten der kaiserlichen Politik vergegenwärtigt, ganz unabhängig von der schwer zu beantwortenden
Frage nach der persönlichen Religiosität des Kaisers.

In den Stellungnahmen späterer Kaiser zu innerkirchlichen Kontroversen – und an denen hat es nicht gefehlt – erklingen ganz andere
Töne. An der Kirche und ihrer Einheit waren sie nicht weniger interessiert. Im Gegenteil, mit der gesetzlichen Erhebung des Christentums zur Staatsreligion und der entsprechenden Benachteiligung der
Heiden, Juden und Häretiker seit der zweiten Hälfte des vierten Jahrhunderts stellte sich die Frage nach der Einheit der Kirche noch
dringlicher. So begann eine Zeit massiver Eingriffe der Staatsgewalt
in kirchliche Kontroversen: Synoden wurden auf Veranlassung des

---

[10]   Z.B. Eus., v. C. I 44; III 10; Ruf., h. e. X 4; Socr., h. e. I 11.
[11]   Ebd., I 10,1–4.

Kaisers oder unmittelbar von ihm einberufen, Bischöfe ab- und ein-
gesetzt, bisweilen ohne synodales Urteil und mit militärischer Gewalt, renitente Kleriker unter harten Bedingungen inhaftiert oder
verbannt, Gebäude und anderes Eigentum einer Kirche konfisziert
oder einer anderen, der Regierung genehmen Gruppe übereignet. Die
Hinrichtung Priszillians auf Grund einer ihm angelasteten Straftat,
aber, wie man wußte, nach einer Denunziation aus dem spanischen
Klerus, blieb zwar ein als unerhört empfundener Einzelfall[12]. Doch
schon Constantius II., der erste Gesamtherrscher nach Constantin,
dekretierte: Was ich will, muß kirchliches Gesetz werden. Vor der
Entscheidungsschlacht gegen den Usurpator Magnentius verfügte er
die Zwangstaufe aller ungetauften Soldaten und entfernte die Wider-
strebenden aus der Armee. Er hielt nach eigenem Bekunden die
christliche Religion für wichtiger im Staat als alles andere[13]. Zwar
sprach auch er gelegentlich in seinen Verlautbarungen von der Homonoia in der Kirche, aber es fehlt diesen Partien der konziliante und
werbende Ton, den sein Vater anschlug[14]. Der Kaiser berief nunmehr
Synoden selbständig ein, lenkte ihre Diskussionen, übte auf die Teil-
nehmer massiven Druck aus und setzte ihre Entscheidungen mit

---

[12] H. CHADWICK, Priscillian of Avila, Oxford 1976, 111–169. Obwohl die Verurteilung offi-
      ziell wegen Zauberei erfolgte, wußte man doch von ihrem kirchenpolitischen Hintergrund.
[13] Der Wandel von Constantin zu Constantius II. im Umgang sowohl mit Heiden (Them.,
      or. 1 v. J. 347 und Lib., or. 59 v. J. 348) als auch mit der Kirche ist reichlich dokumentiert
      (vgl. Anm. 5): Verbannung von Bischöfen ohne vorheriges Urteil einer Synode wie im Fall
      des Liberius von Rom und Druck auf die vom Kaiser einberufenen Synodalen (Soz., h. e.
      IV 11; Socr., h. e. IV 9), was sogar Philostorgius, Vertreter der vom Kaiser favorisierten
      homöischen Richtung, nicht verschweigt (h. e. IV 3 [60 BIDEZ]), sowie der scharfe Ton
      kaiserlicher Verlautbarungen (Soz., h. e. IV 14). Darum werden auch Klagen über staat-
      liche Eingriffe in kirchliche Angelegenheiten laut (Ath., h. Ar. 35,3 mit dem Brief des Juli-
      us von Rom, 44 mit dem Brief des Ossius von Corduba; Hilar., Frg. 7,2,5 mit Bezug auf
      Liberius). Von der Mailänder Synode des Jahres 355 berichtet Athanasius den o. e. Aus-
      spruch des Kaisers (h. Ar. 33). Die Nachricht von der Zwangstaufe steht bei Theodoret
      (h. e. III 3,7). Vermutlich darf man dem Kaiser glauben, daß er die christliche Religion im
      Staat für wichtiger hielt als alles andere (C.Th. XVI 2,16). Vgl. C. PIETRI, La politique de
      Constance II: Un premier cesaropapisme ou l'imitatio Constantini, EnAC 34, 1988, 113–
      178.
[14] Mahnungen zur Homonoia sind in Schreiben des Kaisers bezeugt (z. B. Ath., apol. sec.
      55), aber auch verbunden mit der Androhung scharfer Zwangsmaßnahmen (Socr., h. e. II
      23,50–56).

kaiserlicher Macht durch. Das blieb fortan Stil im christlichen Kaiserreich, jedenfalls im Osten und seinen osteuropäischen Nachfolgestaaten. Die Weihung einer Homonoia-Kirche nach dem Konzil in Konstantinopel im Jahre 381 sollte gewiß nicht an konziliante kaiserliche Überredung erinnern[15]. Die Bindung der Kirche an das Kaisertum war in kurzer Zeit so fest geworden, daß sich Constantins vorsichtiges Taktieren fortan erübrigte.

Von dieser Regel gab es temporäre Ausnahmen. So wollte Valentinian I., ein guter Christ, als Laie keine Bischofssynode einberufen und verwarf die Inanspruchnahme kaiserlicher Autorität in Glaubensfragen. Er erließ ein innerchristliches Toleranzedikt und zeigte sich auch Heiden gegenüber duldsam, was man dem Einfluß des philosophisch gebildeten Rhetors Themistios zuschrieb[16]. Aus ganz anderem Grund hatte sich schon vorher Kaiser Julian jeder Einflußnahme auf die Kirche enthalten. Er hoffte, daß sie am inneren Streit zugrunde gehen würde. In einer erneuerten paganen Religion sollten dann die Priester nicht nur den Götterkult vollziehen, sondern auch Vermittler einer philosophisch-theologischen Unterweisung werden und sich um soziale Fürsorge kümmern[17]. Die christliche Verknüpfung von Kult und fixierter Lehre war also in die pagane Vorstellungswelt eingedrungen, bezeichnenderweise auch in die für jene Zeit repräsentative Tradition des Neuplatonismus. Noch Plotin hatte darüber anders gedacht[18]. Julians früher Tod brachte diese Versuche zu einem schnellen Ende und ersparte es der Kirche, sich unter äußerem Druck auf ihre Einheit zu besinnen.

---

[15] Zur Homonoia-Kirche in Konstantinopel Thdr. Lect., Frg. 52 (133 HANSEN).

[16] Valentinians Toleranz ist wohl bezeugt (C.Th. IX 16,9). Als Laie weigerte er sich, wie seine Vorgänger auf dem Thron Synoden einzuberufen (Socr., h. e. VI 7,2), mahnte die Bischöfe zur Friedfertigkeit und warnte sie davor, die kaiserliche Autorität mißbräuchlich in dogmatischen Fragen in Anspruch zu nehmen (Thdt., h. e. IV 8,1–11). Das hatte aus anderer Perspektive schon Athanasius getadelt (apol. sec. 3,2–7). Diese Toleranz galt aber auch den Heiden (Amm. XXX 9; Zos. IV 3,2), was Christen auf den Einfluß des Rhetors und Philosophen Themistios zurückführten (Socr., h. e. IV 32), der wie einst Constantin auf die geringe Bedeutung dogmatischer Differenzen für den schlichten Glauben hinwies.

[17] Juln. Imp., ep. 89b (BIDEZ).

[18] Porph., Plot. 10.

Es lassen sich also im Verhältnis des spätantiken Kaiserstaates zur Kirche drei Phasen unterscheiden: Während der ersten drei Jahrhunderte eine Distanz, die von relativer Toleranz bis zu aktiver Verfolgung durch den Staat reichen konnte; Inanspruchnahme der Kirche durch den Kaiser und darum Einmischung in kirchliche Angelegenheiten, aber ohne allzu massiven Druck staatlicher Macht unter Constantin; uneingeschränkte Identifikation staatlicher und kirchlicher Zielsetzungen und entsprechender Einsatz kaiserlicher Macht in kirchlichen Angelegenheiten seit der zweiten Hälfte des vierten Jahrhunderts, im politisch dominierenden Osten deutlicher als im Westen.

Constantins Mahnungen zur kirchlichen Einheit und Eintracht erinnern an ein altes Motiv der politischen Publizistik. Diese Tradition hat Klaus Thraede in einem Artikel des Reallexikons für Antike und Christentum aufgearbeitet. Sie begann in der griechischen Dichtung archaischer Zeit, die das Entstehen der Polis, des griechischen Gemeindestaates, begleitete, etwa in Solons Warnungen vor dem Bürgerzwist. Isokrates und andere riefen zur Eintracht der Griechen auf, mit dem Ziel, die Brüder in Asien vom persischen Joch zu befreien. Die Eintracht der Menschen unter dem charismatischen Regiment des Königs als Abbild der Harmonie im Kosmos ist ein Topos hellenistischer Herrscherideologie. Livius berichtet aus der Frühzeit Roms, wie Menenius Agrippa die auf den mons sacer ausgewanderte Plebs durch die Fabel vom fatalen Streit zwischen dem Leib und seinen Gliedern zur Rückkehr bewogen und die Eintracht der Bürger wiederhergestellt habe. Dieser Vergleich sozialer Eintracht mit der Einheit eines aus Teilen bestehenden, lebendigen Organismus, sei es Mensch oder Kosmos, begegnet in Varianten immer wieder, schon früh auch bei Christen. Cicero beabsichtigte, wohl nach dem Vorbild des Philosophen Demetrios Magnes, darüber einen Traktat zu schreiben. Wie andere personifizierte Wertbegriffe erhielten Homonoia bzw. Concordia schon früh Tempel oder Altäre in der hellenistischen Welt und in Rom. So plante Caesar einen Tempel der *Nova Concordia*. Die *concordia civium*, *ordinum* oder *exercituum* erscheint auf Münzen der Kaiserzeit, in der entsprechende Weihungen zunehmen, und dieses Motiv bestimmt die Darstellung der diokletianischen Tetrarchie am Triumphbogen von Thessaloniki[19].

Bei den Geschichtsschreibern liest man wiederholt, daß äußere Bedrohung die innere Einheit in einem Staat erzwinge. An diesem Gemeinplatz – *externus timor maximum concordiae vinculum* in den Worten des Livius[20] – orientieren sich Politiker bis heute und beschwören wirkliche oder erfundene Bedrohungen, um die Regierten in Eintracht hinter sich zu scharen. Sallust erklärt die zum Niedergang des Staates führende Zwietracht der Bürger mit dem Fehlen einer äußeren Bedrohung nach der Zerstörung Karthagos. Polybius zeigt sich im zweiten Jahrhundert v.Chr. überzeugt, daß die bewunderte römische Mischverfassung nur unter äußerer Bedrohung funktionstüchtig sei[21]. Am ausgiebigsten aber kommt das Thema der Homonoia in der griechischen Publizistik der hohen Kaiserzeit zur Sprache.

Damals erfreute sich die griechisch-römische Welt in den gesicherten Grenzen des Reiches eines ungestörten Friedens. Weder im ersten noch im zweiten Jahrhundert n.Chr. gab es die ernsthafte Bedrohung durch äußere Feinde. Kriege erlebte man als Grenz- oder Kolonialkriege. Sarkastisch beschreibt Tacitus, wie der Streit zweier Prätendenten des Dreikaiserjahres 68/69 die stadtrömische Bevölke-

[19] K. THRAEDE, Art. Homonoia (Eintracht), in: RAC, Bd. 16, Stuttgart 1994, 176–289. Zur kosmischen Analogie der Eintracht unter Menschen vgl. den Traktat des Neupythagoreers Euryphamus (86,9 THESLEFF) und den 1. Clemensbrief (s. Anm. 6). Aristoteles definiert die Homonoia als „politische Freundschaft" (EN 1167 b 12), erwähnt aber auch ihre individualethische Bedeutung (ebd. 1155 a 24). Schon Platon verweist auf die Beziehung der Homonoia zur Freundschaft (R. 351 D; Plt. 311 B).
[20] Liv. II 39,7; vgl. Tac., hist. V 12.
[21] Plb. VI 18. Das Motiv taucht immer wieder auf. Der Sophist Thrasymachus wundert sich darüber, daß der Krieg den Athenern Aufruhr und Zwietracht im Innern gebracht habe, während üblicherweise Not die Menschen zur Vernunft bringe und nur Glück sie übermütig mache (B 1 DIELS/KRANZ). Lykurg verdient besonderes Lob, weil er die vorbildliche Verfassung der Spartaner ohne den Druck oder die Erfahrung eines Krieges entworfen und durchgesetzt habe (Dem. Phal., Frg. 89 WEHRLI). Demokrit bezeichnet die Eintracht als wichtigste Voraussetzung aller bedeutsamen politischen Unternehmen (B 250 DIELS/KRANZ). Sallust zufolge (Cat. 10) hat mit dem Wegfall der Bedrohung durch Karthago der Herrsch- und Habsucht einzelner Bürger nichts mehr im Wege gestanden (ein ähnlicher Gedanke bei Plb. XVIII 57).

rung mit der Möglichkeit konfrontierte, in einen Krieg verwickelt zu werden, und sie zu ganz irrationalem Verhalten veranlaßte[22]. Blutige Kämpfe zwischen Thronanwärtern oder die jüdischen Aufstände zogen zwar die Bevölkerung der betroffenen Regionen in Mitleidenschaft. Doch wurden sie nicht wie Kriege empfunden, bei denen es um den Bestand des Reiches ging. Die fast dreihundertjährige Abwesenheit äußerer Kriegsgefahr ist nicht der wichtigste, wohl aber einer der Gründe für Tacitus' bittere Feststellung, unter den Kaisern sei die res publica zur res aliena geworden[23].

Was bedeuten nun die durchaus politisch gemeinten Reden und Traktate über die Eintracht (περί ὁμόνοιας), die uns seit dem späten ersten Jahrhundert n.Chr. überliefert oder bezeugt sind? Hierzu zunächst ein kleiner philologischer Exkurs.

Das Griechische kennt zahlreiche Ableitungen vom Wort Polis. Teilweise wurden sie bekanntlich in die europäischen Sprachen übernommen. Im nachklassischen Griechisch, als die große Zeit der Poleis als unabhängiger sogenannter Stadtstaaten vorüber war, bezieht sich diese Wortgruppe meist nur auf die städtische und darum gesittete Lebensweise, und πολιτικός heißt dann nichts weiter als „höflich". Wenn aber diese Wörter zu hellenistisch-römischer Zeit im Zusammenhang öffentlicher Tätigkeit vorkommen, ist niemals vom Dienst in Verwaltung oder Armee einer Monarchie die Rede. Sie beziehen sich dann ausschließlich auf die Tätigkeit für ein städtisches Gemeinwesen, auf munizipale Regierungs- oder Verwaltungsaufgaben. Dieser Sprachgebrauch erinnert an Aristoteles' politische Theorie mit ihrer Beschränkung auf den Typus der griechischen Polis, die nach seiner Meinung allein die volle und freie Entfaltung der Menschennatur ermöglicht[24].

---

[22] Tac., hist. I 88–89.
[23] Tac., hist. I 1,7.
[24] F. SCHOTTEN, Zur Bedeutungsentwicklung des Adjektivs „politikos", Köln 1966. Aristoteles setzt sein Urteil, die Griechen seien zum Herrschen, die Barbaren zum Beherrschtwerden bestimmt, zur „vollkommenen Staatsordnung", d. h. zur griechischen Polis, in Beziehung (Pol. 2 [1252 b 9–26]).

Für die soziale Identität des Einzelnen in nachklassischer Zeit war tatsächlich in erster Linie sein Bürgerrecht in einer Stadt bedeutsam, nicht seine Eigenschaft als Untertan eines Monarchen, so unbestritten er dessen Gewalt unterworfen war[25] und so sehr ihn Ehrenstatuen oder Inschriften allenthalben an dessen Macht und Fürsorge erinnerten.

Über das Heimatgefühl der Unterschichten läßt sich wenig Sicheres ermitteln. Auf dem Land orientierte es sich vermutlich an den Gegebenheiten der engsten Umgebung, etwa den lokalen Kulten oder den Gräbern der Vorfahren, und wohl kaum an der Einbindung in eines der großen Staatsgebilde der hellenistisch-römischen Zeit. Für die städtische Unterschicht läßt sich durchaus ein Lokalpatriotismus erschließen, auch nachdem die politische Bedeutung der Volksversammlungen zugunsten eines aristokratischen Systems zurückgegangen war. Die Anteilnahme der Bevölkerung an städtischen Ereignissen auch unabhängig von politischer Einflußnahme und die Rivalität zwischen den Stadtgemeinden, die sich bisweilen tumultuarisch Luft verschafften, ist dafür ein Zeugnis. Die Bindung an die Heimatstadt war darum wohl stärker als die an Herrscher und Reich, was allerdings für eine vom Herrscher gegründete und mit Rechten ausgestattete Veteranenkolonie mindestens in den ersten Jahrzehnten ihres Bestehens vielleicht weniger galt.

Die Mentalität der städtischen Oberschicht wird in den erhaltenen Texten eher greifbar. Ihre Angehörigen waren in der ganzen nachklassischen Zeit wohl mehrheitlich an der munizipalen Selbstverwaltung beteiligt, was über ein diffuses Heimatgefühl hinaus einerseits die politische Bindung an die Heimatstadt stärkte, andererseits das Bewußtsein von der Existenz einer nicht immer sehr geschätzten Obrigkeit jenseits der munizipalen Ebene wach hielt. Schließlich ging es in der Selbstverwaltung jahrhundertelang vor-

---

[25] Zur Frage der politisch-sozialen Identität des Einzelnen in hellenistisch-römischer Zeit vgl. F. VAN DER STRATEN, Images of gods and men in a changing society: self-identity in Hellenistic religion, A. GIOVANNINI, Greek cities and Greek commonwealth and A. DIHLE, Response, in: Images and Ideologies – Self-Definition in the Hellenistic World, hg. v. A. BULLOCH u. a., Hellenistic culture and society 12, Berkeley 1993, 248–298.

dringlich um das Verhältnis zum Herrscher. Mit seinen Ansprüchen auf Ehrung, auf Achtung seiner unbestreitbaren Souveränität und nicht zuletzt auf Steuereinnahmen mußte sich die städtische Selbstverwaltung beschäftigen und dabei um ein gutes Klima bemühen. Eine Staatsangehörigkeit in unserem Sinn kannte die Antike nicht. Die Erteilung des römischen Bürgerrechtes im Jahre 212 n.Chr. an fast alle freien Bewohner des Reiches könnte man allenfalls zum Vergleich heranziehen. Dieses Bürgerrecht bezog sich formal auf die Stadt Rom. Es bewirkte zwar eine gehobene Rechtsstellung im ganzen Reich, aber sein Inhaber konnte es nur im unwahrscheinlichen Fall seines Aufstiegs in den höchsten Reichsadel, den Senatorenstand, als politische Tätigkeit für das städtische Gemeinwesen wahrnehmen. Demgegenüber war die aktive Beteiligung an der munizipalen Selbstverwaltung mindestens für die bürgerliche Oberschicht selbstverständlich und wurde im spätantiken Staat zusammen mit der Haftung für das städtische Steueraufkommen nicht selten gegen den Willen der Betroffenen erzwungen.

Der Dienst in Armee oder Verwaltung einer Monarchie beruhte in hellenistisch-römischer Zeit auf der persönlichen Loyalität zum Dienstherrn. Hier ist am ehesten anzunehmen, daß Erfahrungen im weiträumigen Herrschaftsgebiet bei Feldzügen oder der Wahrnehmung administrativer Aufgaben zur persönlichen Loyalität die emotionale Bindung an das König- oder Kaiserreich treten ließen[26]. Aber vom heimatbezogenen Engagement städtischer Oberschichten war das grundverschieden, und darum nannte man eben den königlichen oder kaiserlichen Dienst nie „politische" Tätigkeit. Plutarch etwa bezieht sich in einem Traktat zu der Frage, ob ein alter Mann Politik treiben solle (πολιτεύεσθαι), sowie in seinen übrigen politischen Schriften ausschließlich auf die munizipale Selbstverwaltung.

---

[26] Durch die Fortdauer der republikanischen Ämterlaufbahn, für die Augustus gesorgt hatte, bestand zwar in der Fiktion der Dienst am Gemeinwesen fort. Aber mit der Bekleidung der alten Jahresämter verband sich weniger eine wichtige Tätigkeit als die Qualifikation für eine Position in Armee und Verwaltung, bei der es dann auf die Loyalität gegenüber dem Kaiser als Dienstherrn ankam.

Die alten Stadtstaaten der Antike waren einmal souverän gewesen. Zwar hatten die meisten unter ihnen seit dem Alexanderzug
durch ihre Eingliederung in Königreiche, in monarchisch regierte
Territorialstaaten, die außenpolitische Handlungsfreiheit verloren,
ein Prozeß, der unter der römischen Kaiserherrschaft zum Abschluß
kam. Es bestand in der Antike nie ein Zweifel daran, daß Einwohner
eroberter Länder dem Eroberer, also im Fall der Römer dem römischen Volk bzw. später dem Kaiser, legitimerweise untertan waren,
auch als Bewohner einer sich weiterhin selbst verwaltenden und no-
minell freien, einstmals wirklich unabhängigen Stadt[27].

Unter all diesen geschilderten Bedingungen konnte das Verhältnis zwischen Stadtgemeinde und Herrscher von Anfang an nicht selten recht zwiespältig sein. Das galt vermutlich weniger in dem schon
erwähnten Fall einer vom Kaiser gegründeten Veteranenkolonie,
wohl aber aus der Perspektive der Bevölkerung einer traditionsrei-
chen Stadt, vor allem im griechischen Osten.

Indessen waren die römischen Kaiser genau wie ihre Vorgänger,
die hellenistischen Könige, auf Städte dringend angewiesen. Dort
konzentrierten sich Besitz und Bildung, nur dorther kam das Personal
für den Regierungsapparat und die Kommandostellen der professio-
nellen Armee, und Städte waren die Zentren der wirtschaftlichen Ak-
tivität und des kulturellen Lebens. Die vielen Städtegründungen und
die nachdrückliche Förderung des Städtewesens durch alle griechischen und römischen Monarchen sprechen eine deutliche Sprache.
Auf der anderen Seite aber hegte man in vielen Städten die Erinnerung an frühere, durch Rechtsfiktionen zuweilen sogar fortgeschrie-
bene oder erneuerte Souveränität – man denke an Neros spektakuläre

---

[27] Daß der Erwerb eines Landes „mit dem Speer" seine Einwohner rechtmäßig zu Untertanen
des Eroberers macht, gilt in der ganzen nachklassischen Antike (Plb. XVIII 51,4; Verg.,
Aen. VI 847–859; D.H. I 42,4; Plut., apoph. lac. 23 M u. v.a.). In der Verwaltungssprache
der hellenistischen Reiche bezeichnete das Adjektiv δορίκτητος den Domanialbesitz des
Königs, den er oder sein Vorfahr nach der Eroberung des Landes von der zuvor herrschenden Dynastie übernommen oder auf anderem Weg erworben hat.

„Befreiung" der Griechen[28]. Aber der freie Bürger einer Stadt mußte stets zugleich ein loyaler Untertan sein. Tacitus sagt einmal, daß das Adoptivkaisertum zwei unvereinbare Dinge, principatus und libertas, zusammengeführt habe. Er hatte dabei die Stellung des Kaisers zum römischem Senat vor Augen, dem Hüter der republikanischen Tradition und darum potentiellem Opponenten des Kaisers. Dieses Nebeneinander blieb trotz der von Augustus eingefädelten Fiktion eines ungeschmälerten Fortbestandes der republikanischen Institutionen angesichts der tatsächlichen Machtfülle des Kaisers problematisch. Schließlich war, wenn auch nur in der Theorie, jeder Senator auch ein potentieller Konkurrent eines Kaisers, der sich als princeps inter pares präsentierte, so wenig an seiner überlegenen Macht ein Zweifel bestand. Definitiven staatsrechtlichen Wandel schufen hier erst die diokletianisch-konstantinischen Reformen. Die Adoptivkaiser des zweiten Jahrhunderts stammten nicht aus der alten stadtrömischen Nobilität. Sie entspannten die Lage durch einen betont zivilen Lebens- und Regierungsstil, ohne freilich von ihrer Macht etwas abzutreten. Tacitus' Aussage über die Aussöhnung des *principatus* des Kaisers und der vom Senat beanspruchten *libertas* verweist zwar auf ganz spezifische Verhältnisse in der Hauptstadt des Reiches. Aber es handelt sich dabei doch um eine besonders wichtige Variante der insgesamt prekären Beziehung zwischen Monarch und Stadt, weil beide, dringend aufeinander angewiesen, Prestige und Ansprüche aus ganz verschiedenen Quellen bezogen[29].

Der Stolz, einem städtischen Gemeinwesen anzugehören, wurde gerade bei einem Griechen auch in der römischen Kaiserzeit dauernd wachgehalten. Er lebte unter einem gewählten Regiment mit Volks- und Ratsversammlung, dessen wechselnde Amtsträger aus der städti-

---

[28] Proklamationen der „Freiheit" der Griechen bzw. ihrer Städte durch Flamininus i. J. 196 v.Chr. bei Plut., Flam. 16; dazu SIG 1, Nr. 592, durch Kaiser Nero bei Suet., Ner. 24; D.C. 63,11; dazu SIG 1, Nr. 814.

[29] Tac., Agr. 3,3. An der tatsächlichen Machtfülle des Kaisers bestand auch dann kein Zweifel (Sen., ad Polyb. 7,2), wenn er wie Augustus, Tiberius oder Trajan seine Stellung als „erster Bürger" hervorkehrte und sich nicht wie Caligula (Suet., Cal. 14,1) und Spätere die orientalisch-hellenistische Rolle des über den Gesetzen stehenden „absoluten" Herrschers zulegte. S. auch Anm. 32.

schen Oberschicht kamen. Die Städte hatten eine begrenzte Gesetz-
gebungs- und Gerichtshoheit, zuweilen auch Münzrechte. Man lebte
nach einem eigenen Kalender mit den Festen der Stadtgötter, in deren Obhut die Stadt stand. Formelle Gesandtschaften gingen an den
Kaiserhof und andere Stadtgemeinden, mit denen man wie zu alten
Zeiten in aller Form Verträge schloß. So ist es kein Wunder, daß
städtische Amtsträger in öffentlichen Bekundungen gern an die glor-
reiche Vergangenheit städtischer Souveränität anzuknüpfen suchten
oder sich in ihren amtlichen Texten des längst verklungenen Lokaldialektes bedienten[30]. Das paßte nicht nur zum geschichtlich fundier-
ten Selbstgefühl griechischer Stadtbewohner, sondern auch in die
Bildungswelt einer klassizistischen Epoche, die alle ihre Maßstäbe
aus der Vergangenheit zu beziehen strebte. Plutarch durchschaute die
Fragwürdigkeit, die darin lag, daß ein städtischer Amtsträger versuchte, seine Maßnahmen als Fortsetzung der ruhmvollen Tätigkeit
großer Staatsmänner aus klassischer Zeit wie Themistokles oder Epa-
minondas erscheinen zu lassen. Er spricht unverhohlen von der Ge-
ringfügigkeit der munizipalen Angelegenheiten in seiner eigenen
Zeit[31].

Wohl aber stärkten gerade solche Prätentionen die Bindung der
Bürger an ihre Stadt und animierten Wohlhabende, durch die Stif-
tung von Bädern, Bibliotheken oder andere Wohltaten den Glanz der
Vaterstadt zu mehren. Diese Annehmlichkeiten städtischer Lebensweise übten große Anziehungskraft aus, und Städte bewirkten darum
die Hellenisierung, im Westen die Latinisierung weiter Gebiete, und

---

[30] Zeugnisse der amtlichen Verwendung eines nicht mehr gesprochenen und darum unzuläng-
lich beherrschten Lokaldialektes in der Kaiserzeit bei E. SCHWYZER, Dialectorum Graecarum exempla epigraphica potiora. „Delectus inscriptionum Graecarum propter dialectum
memorabilium" quem primum atque iterum ed. P. CAUER, Leipzig ³1923 (= Hildesheim
1960), z. B. Nr. 627 und 628.

[31] Plut., praec. publ. 10; 32; ähnlich D.Chr., or. 32,95. Positiv entspricht dieser Einsicht freilich das hier und sonst zum Ausdruck kommende Lob der römischen Herrschafts- und
Friedensordnung und ihrer Rechtssicherheit, vor allem in den Homonoia-Reden des Aristeides (or. 23 und 24 KEIL). Tacitus zeigt sich überzeugt, daß das *immensum corpus impe-
rii* ohne einen Monarchen nicht Bestand haben und im Gleichgewicht gehalten werden
könne (ann. I 16,1; ähnlich I 1,6; I 12,11). S. auch Anm. 41.

dieses durchaus im Interesse regierender Könige oder Kaiser[32]. Die Landbevölkerung blieb vernachlässigt, denn wo es eine landsässige einheimische Oberschicht gegeben hatte, fand sie schnell den Weg zu Bürgerrecht und städtischer Lebensweise. Dem einfachen Landbewohner eröffnete zur Römerzeit allenfalls ein langjähriger Dienst in der Armee den Aufstieg in die städtische Welt, mit der sich alle Vorstellungen vom angenehmen Leben verbanden. Die Römer, so ihr Lobredner Aristeides im zweiten Jahrhundert n.Chr., hätten ihr ganzes Reichsgebiet zu einer einzigen Stadt gemacht. Aristeides dachte dabei gewiß weniger an den Weisen der Stoiker, der mit den Göttern die ganze Welt, die Kosmopolis, als Heimat teilt, als an die Vorzüge städtischer Lebensweise[33].

Aber gerade diese Stadtkultur, in einem langdauernden Frieden aufgeblüht, machte die Eintracht, die Homonoia unter Bürgern und Städten, zu einem Problem, ganz wie Polybius und andere es gesehen hatten.

[32] Die Förderung des Städtewesens durch hellenistische Herrscher und römische Kaiser und die dadurch bewirkte Ausbreitung griechisch-römischer Kultur und Sprache sind in der Forschung besonders ausgiebig behandelt worden, bahnbrechend von M. ROSTOVTZEFF, Gesellschaft und Wirtschaft im römischen Kaiserreich. Übersetzt v. L. WICKERT, Bd. 1–2, Leipzig 1930–1931. Zu den Rechtsverhältnissen zwischen Stadt und Herrscher zusammenfassend J. GAUDEMET, Institutions de l'antiquité, Paris 1967, 229–235; 511–520; 526–534 mit weiterer Literatur. Die Ptolemäer machten hier insofern eine Ausnahme, daß sie sich um Städtegründungen nur in ihren Außenbesitzungen, nicht aber in ihrem Kernland Ägypten bemühten. Dort gab es neben der alten, bald von Alexandreia überflügelten alten Griechenstadt Naukratis im Delta nur eine neu gegründete Stadt, Ptolemais in Oberägypten, dem Kaiser Hadrian die Neugründung Antinoopolis hinzufügte. Die im Land ansässigen Griechen bildeten in den kleinen und großen, gelegentlich „Metropolen" genannten Dörfern Körperschaften, die den Namen Politeumata trugen und gewisse Selbstverwaltungsfunktionen wahrnahmen. Selbst die Welt- und Residenzstadt Alexandrien genoß, obwohl aus der allgemeinen Verwaltung Ägyptens eximiert, nie die vollen Rechte einer griechischen Polis. Den Ptolemäern lag daran, das zentralistische System der Pharaonenzeit fortzusetzen, das ihnen ungehinderten Zugriff auf den Reichtum des Landes ermöglichte, und die Römer taten es ihnen gleich und unterwarfen sogar den Tempelbesitz einer schärferen Kontrolle. Dazu P. M. FRASER, Ptolemaic Alexandria, 3 Bde., Oxford 1972 (Nachdruck 1986).

[33] Das ist ein Hauptthema der Lobrede auf Rom des Aristeides (or. 26 KEIL). Dazu der Kommentar von R. KLEIN, Die Romrede des Aristeides, Darmstadt 1983 zu cap. 26.

Es gab mehrere Gründe für Konflikte, an deren Schlichtung nicht nur das Stadtregiment, sondern auch die kaiserliche Regierung ein Interesse haben mußte. Da war der Gegensatz zwischen arm und reich, sowohl innerhalb der Stadtbevölkerung als auch zwischen Stadt und Land, der, wie vielfach bezeugt, gefährliche Ausmaße annehmen konnte. Wenn Aristeides diesen Konfliktstoff für das Römerreich ausdrücklich leugnete, darf man das wohl eher als Hinweis auf ein Problem interpretieren[34]. Das Monopol der städtischen Oberschicht auf die Besetzung der unbezahlten Ämter muß zusammen mit ihrem Reichtum eine starke Abneigung gegen „die da oben" hervorgerufen haben. Plutarch hielt dieses Ressentiment für unvermeidlich und erwartete darum von einer Demokratie, die allerdings damals gar nicht zur Debatte stand, ähnlich wie Tacitus nur schlimmste Tyrannei und Anarchie[35]. Auch wurden die städtischen Ämter von den Honoratioren wohl nicht immer gewissenhaft wahrgenommen, denn Plutarch war gewiß nicht der einzige mit seiner Einschätzung der Tragweite städtischer Politik. Dennoch glaubte er, ebenso wie der Redner Dion von Prusa, davor warnen zu müssen, die „politische" Tätigkeit als Nebensache anzusehen. Diese Warnung paßt zu dem gelegentlich bezeugten Mißtrauen der kaiserzeitlichen Provinzial- oder Zentralregierung in die Kompetenz der munizipalen Selbstverwaltung[36].

Es gab also Anlaß, die Stadtbevölkerung zur Eintracht zu mahnen. Der erwähnte Dion betrachtete im Einvernehmen mit Kaiser

---

[34] Die beiden Konfliktfelder im Städtewesen der nachklassischen Antike, der Gegensatz arm/reich und die Rivalität unter den Stadtgemeinden, werden immer wieder erwähnt (z. B. Plin., paneg. 80; D.Chr., or. 32,87; 33,17; 34,17–23 u. ö.; Aristid., or. 26,65 und 66 [KLEIN]). Dion warnt auch davor, die Spannung nicht auf einen unbeteiligten Dritten als gemeinsamen Gegner abzulenken. Vgl. ROSTOVTZEFF, Gesellschaft und Wirtschaft (wie Anm. 32), Bd. 1, 98–101.

[35] Plut., praec. publ. 16; ähnlich D.Chr., or. 32,26; Tac., ann. IV 4; Aristid., or. 26,38 und 60 (KLEIN).

[36] Plut., praec. publ. 10; D.Chr., or. 34,29–37. Die Überwachung der Finanzgebahrung und der Administration der Städte durch kaiserliche Sonderbeauftragte illustriert Plinius' Korrespondenz mit Kaiser Trajan. Später wurde dafür das Amt der correctores civitatium eingerichtet (W. ENSSLIN, Art. Valerius [Diocletianus], in: PRE, Bd. 7 A, [2419–2495] 2456–2464). Zur Kontrolle der Städte durch den Kaiser F. MILLAR, The Emperor in the Roman World (31 BC – AD 337), London 1977 (= Ithaca/New York 1992, [363–447] 420–434).

Trajan den Philosophen als geeigneten Volkserzieher in dieser Situation. Das erweiterte, wie er selbst sagt, die damals gängige Rolle der Philosophie als Lebenshilfe für den Einzelnen. Doch Dion war als geschulter Redner an öffentliche Auftritte gewöhnt und widmete sich der volkspädagogischen Aufgabe, die Bürger innerhalb der Städte, aber auch die Stadtgemeinden untereinander zu Frieden und Eintracht zu mahnen, mit philosophischem Engagement und rednerischer Brillanz. Das Wort Homonoia kommt in seinen politischen Reden dutzendfach vor. Doch bezeichnet es Dions philosophische Denkweise, daß er zur Heilung sozialer Schäden nicht strukturelle Maßnahmen empfiehlt, sondern seine Mahnungen stets als moralischen Zuspruch an jeden Einzelnen richtet. Es sind die Fehler und Laster der einzelnen Menschen, sei es Streitsucht wie bei den Bürgern von Tarsus, Leichtsinn und Vergnügungssucht wie bei den Alexandrinern oder Undankbarkeit wie bei den Rhodiern, die es zu beheben gilt. Auch von den politisch Tätigen fordert Dion in erster Linie moralische Integrität, und seine diesbezüglichen Formulierungen verraten allenthalben ihre Herkunft aus der philosophischen Individualethik. Ganz ähnlich setzt er in seinen sozialutopisch-kulturkritischen Traktaten, dem Euboikus und dem Borysthenikus, stets bei der Erziehung des Einzelnen an, nicht ohne dabei wie auch in anderem Zusammenhang Vorbilder aus der griechischen Vergangenheit anzuführen[37].

Eine zweite Ursache unfriedlicher Verhältnisse im Reich lag in der Rivalität zwischen den Städten. Diese konnte sich aus mancherlei Anlaß entzünden, zum Beispiel am Streit um Privilegien oder Eigen-

---

[37] Zur „volkspädagogischen" Tätigkeit D.Chr., or. 32,8; 18 f.; sie ist für die Hörer unbequemer als die schönen Reden der Sophisten (33,10); philosophischer Zuspruch normalerweise für den Einzelnen (32,8), wie die Arznei des Arztes für den Patienten (32,14; 33,6–7); Verschiedenheit der Menschen (31,9); allgemein zerstörerische Wirkung der individuellen Fehler (31,5; 32,15 f. 98; 33,28. 46 f.); Vorzüglichkeit der Bürger wichtiger als die der Stadt (32,37; 33,18. 25); besser eine arme verödete Stadt mit ein paar Verständigen darin als eine Masse von Toren, die keine echte Polis bilden können (32,89); zügellose Menschen gleichen Tieren und sind weder zum Herrschen noch zum Beherrschtwerden fähig wie die den Vergnügungen verfallenen Alexandriner (32,26. 49 f. 68. 86; vgl. 33,46 f.); moralische Integrität der Herrschenden besonders notwendig (31,5). Zum Ganzen C. P. JONES, The Roman World of Dio Chrysostom, Cambridge MA/London 1978, bes. 75–82.

tumsrechte, aber nicht weniger an Fragen des Prestiges, das sich aus
einer ruhmvollen Vergangenheit oder der Attraktivität von Festen,
Heiligtümern oder Bildungseinrichtungen herleiten ließ. Dion bezeichnet zwar solche Rivalitäten als so lächerlich wie den Streit
zweier Mitsklaven um Ruhm und Vorrang und ein anderes Mal als
Streit um den Schatten des Esels[38]. Aber daß sie wichtig genommen
wurden, hören wir vielfach. Der Jüngere Plinius rühmt Kaiser Trajan,
weil er es verstand, rivalisierende Städte und aufbegehrende Massen
mit vernünftigen Argumenten statt durch ein Machtwort zu be-
schwichtigen[39]. Aristeides begründet in seiner Lobrede die angeb-
liche Eintracht unter Bürgern und Städten mit der Regierungskunst
der Römer. Sie hätten die Städte nicht wie die Perser nur erobert und
mächtigen Satrapen unterworfen, sondern eine Rechtsordnung mit
einem verläßlichen Instanzenzug eingerichtet[40]. Auch hier verrät das
Lob die neuralgischen Punkte.

Auf beiden Konfliktfeldern kam es gelegentlich zu Gewalttätig-
keiten. Zwar gab es seit hellenistischer Zeit im griechischen Städtewesen die Gepflogenheit, in schwierigen Rechtsfällen Richter von
auswärts heranzuziehen, die an den Spannungen innerhalb der Stadtgemeinde unbeteiligt waren, sowie den Streit zwischen zwei Städten
einer Schlichtungskommission aus unbeteiligten Stadtgemeinden zu
unterbreiten. In den Ehreninschriften für erfolgreiche Richter und
Schlichter, unsere wichtigste Quelle für diese Vorgänge, kommt bezeichnenderweise immer wieder das Wort Homonoia vor[41]. Doch ge-

---

[38] D.Chr., or. 31,120; 34,48. In einer seiner Äußerungen über die Städterivalitäten seiner Zeit
führt Dion (or. 34,46–49) bei allem Realismus in der Beurteilung der Gegenwart doch das
unter gänzlich anderen Bedingungen erzielte Einvernehmen zwischen Athen und Sparta
während des Perserkrieges von 480/479 als Vorbild ein – ein Beispiel für die vom Klassi-
zismus geprägte Denk- und Redeweise der Kaiserzeit, dem sich etwa aus Aristeides viele
andere an die Seite stellen lassen.

[39] Plin., paneg. 80 u. ö.

[40] Über die römische Regierungskunst äußert sich Aristeides in seiner Romrede (or. 26
[KEIL]) immer wieder (c. 23; 38; 63 f.; 67 mit den Kommentaren von R. KLEIN).

[41] Z.B. Inschriften von Erythrai und Klazomenai, hg. v. H. ENGELMANN/R. MERKELBACH,
Inschriften griechischer Städte aus Kleinasien 1, Bonn 1972, Nr. 111 um 160 v.Chr.;
Nr. 125 v. J. 113 n.Chr. (auswärtige Richter in einer Stadt); der in SIG 1, Nr. 685 v. J. 139
v.Chr.; Nr. 665 v. J. 164 v.Chr.; Inschriften von Kios, hg. v. T. CORSTEN, Inschriften grie-

rade in der Kaiserzeit mußte oft der Statthalter der Provinz eingreifen, vor allem wenn die öffentliche Ordnung gestört wurde oder es
gar zu Unbotmäßigkeiten gegenüber dem Kaiser gekommen war. Die
bekanntermaßen unruhige Bevölkerung der Welt- und Handelsstadt
Alexandria war in Selbstverwaltungskörperschaften der Griechen,
Juden und Ägypter eingeteilt, zwischen denen es wiederholt zu Auseinandersetzungen kam, und dort pflegten Krawalle und das nachfolgende Strafgericht besonders heftig auszufallen. Der Jude Philon
etwa reiste aus solchem Anlaß mit einer Gesandtschaft an den Hof
Kaiser Caligulas. Wie nach solchen Vorfällen Bürgerstolz und Kai-
sermacht in Konfrontation gerieten, erfahren wir aus den sogenannten Akten der alexandrinischen Märtyrer, Texten mit deutlich
antirömischer und antikaiserlicher Tendenz zum Ruhm aufrechter
Bürger. Aber auch andere Städte erlebten Vergleichbares, so zum
Beispiel Pompejis Streit mit einer Nachbargemeinde. Dieser entlud
sich in blutigen Ausschreitungen im Pompejianer Amphitheater und
hatte drakonische, wegen eines nachfolgenden Erdbebens dann ge-
milderte Maßnahmen der kaiserlichen Regierung zur Folge[42].

In solchen Situationen waren das Geschick und die Standfestig-
keit der städtischen Gesandten gefragt, die an den Kaiserhof gingen,
um den Fall zu bereinigen oder sich über den Statthalter zu beschwe-
ren. Gesandtschaften gingen aber auch in anderen Angelegenheiten
nach Rom, etwa mit der Bitte um finanzielle Entlastung nach Naturka-

chischer Städte aus Kleinasien 29, Bonn 1985, Nr. 17 v. zweiten Jahrhundert n.Chr. (auswärtige Schlichter zwischen zwei Städten); SIG 1, Nr. 665 bezeugte Schiedsspruch kam
auf Veranlassung Roms zustande, und die Inschrift bezeichnet die Römer geradezu als Ga-
ranten griechischer Homonoia.

[42]   Von der notorischen Unruhe der alexandrinischen Bevölkerung spricht D.Chr., or. 32,69 f.;
vgl. Ph., leg. und das Fragment der Rede des Kaisers Claudius an die Alexandriner (Pap.
Lond. 1912). Spannungen dieser Art bilden den Hintergrund der sogenannten Akten der
heidnischen Märtyrer mit fiktiven Verhören griechisch-alexandrinischer Bürger vor kaiserlichen Beamten (The Acts of the pagan Martyrs, hg. v. H. A. MUSURILLO, Oxford 1954),
aber auch des dritten Makkabäerbuches, das Verfolgung, Standhaftigkeit und wundersame
Errettung ägyptischer Juden schildert und vermutlich in der Zeit Caligulas entstanden ist.
Zum Krawall im Amphitheater von Pompeji s. Tac., ann. XIV 1; auch Dion von Prusa
spricht gelegentlich von gewalttätigen Auseinandersetzungen zweier rivalisierender Städte
(or. 34,11; vgl. JONES, The Roman World [wie Anm. 37], 77 f.).

tastrophen oder um die Sondersteuer des aurum coronarium zu über-
bringen. Diese Gesandtschaften hatte Plutarch im Auge, wenn er von
den Anforderungen an die Klugheit städtischer Amtsträger sprach.
Dion gibt dazu den Hinweis, daß es vor Statthalter und Kaiser auf die
rechte Verbindung der Parrhesia, des Freimuts eines freien Bürgers,
mit dem Gehorsam des loyalen Untertanen ankomme. Das ließ sich
nicht erreichen, wenn man sein Amt als Nebensache betrachtete,
denn, so Plutarch, man müsse zwar der Übermacht des Kaisers und
seiner Beamten begegnen, aber auch immer an die Segnungen des
Friedens und der Rechtsordnung des Reiches denken[43]. Plinius, aus
anderer Perspektive, rühmt den Kaiser Trajan nicht nur wegen seiner
„Bürgernähe", wie wir heute sagen würden, sondern auch gerade dafür, daß er im Fall des Konfliktes zwischen Provinzstatthalter und
Stadtgemeinde eher zugunsten der Stadt eingeschritten sei[44]. Das
bezeichnet das mögliche Konfliktfeld und die von einem römischen
Senator bevorzugte Lösung des Konfliktes durch die kaiserliche Zen-
tralverwaltung. Es läßt aber auch den Schluß zu, selbst unter Berück-
sichtigung des Tenors einer Lobrede, daß sich die Vorstellungen und
Präferenzen der Adoptivkaiser im zweiten Jahrhundert wenig von
denen der gebildeten bürgerlichen Oberschicht unterschieden. Sie
stammten eben durchweg selbst aus diesem städtischen Milieu.

Die Ordnung des Reiches forderte demnach von der Stadtgemeinde und dem einzelnen Bürger einen eigenen Beitrag zum inneren Frieden, zur Homonoia, und zwar ohne den Druck äußerer Bedrohung. Keine Kriegsgefahr, welche die kleinen Nöte, Zwiste und
Eitelkeiten auf ihr wahres Maß hätte zurückführen können, erzwang
im langdauernden Frieden die innere Eintracht.

Die Texte mit den Mahnungen zur Eintracht stammen großenteils
aus der Feder sogenannter Sophisten, professioneller Rhetoriklehrer,

---

[43]   D.Chr., or. 34,38–42; Plut., praec. publ. 17. Daß die von Dion u. a. so geschätzte Parrhesia
       im Übermaß gefährlich werden kann, sagt Lukian (Peregr. 18).

[44]   Der ganze Trajan-Panegyrikus des Jüngeren Plinius entwirft das Bild kaiserlicher Herr-
       schaft, deren Träger sich an die ethischen Maßstäbe einer bürgerlich-gebildeten Ober-
       schicht bindet. Diesem Bild entspricht später nichts so sehr wie das Meditationsbuch des
       Kaisers Marc Aurel.

die in einer oftmals ausgedehnten Vortragstätigkeit über politische, soziale, historische, literarische, religiöse oder moralische Themen redeten und sich dabei im Wettstreit miteinander eines möglichst geschliffenen Stiles bedienten. Man hat sie als „Konzertredner" bezeichnet. Ihr Ansehen in der hohen Kaiserzeit war enorm, denn sie vertraten wohl am reinsten das Bildungsideal der Zeit. Es forderte die perfekte Beherrschung sprachlich-stilistischer Ausdrucksmittel, die aus älterer, als „klassisch" anerkannter und für den Unterricht zu einem Kanon zusammengefaßter Literatur kamen. Das Studium dieser Literatur hielt auch die Kenntnis der großen griechischen Vergangenheit präsent. Das wiederum entsprach dem Selbstgefühl ihrer Auftraggeber in einer Zeit, in der man allenthalben seine Wertmaßstäbe in der Vergangenheit zu finden suchte. Ferner kam dazu eine gewisse Vertrautheit mit Grundsätzen philosophischer Ethik, auch außerhalb der professionell betriebenen Philosophie, der zweiten Bildungsmacht jener Epoche. Ihre Einwirkung auf das private und öffentliche Leben war vermutlich nie so stark wie in der hohen Kaiserzeit. Einigen Sophisten gelang der Aufstieg in die höchste Gesellschaftsschicht, und nicht wenige fanden das Ohr des Kaisers[45]. Ihr Auftreten als Lehrer und Redner steigerte verständlicherweise das Ansehen ihrer Heimatstädte und der Stätten ihres Wirkens. Darum betrauten die Amtsträger der Stadtgemeinden gerade Sophisten mit Gesandtschaften an Statthalter oder Kaiser, mit der Abfassung von Eingaben und Grußadressen, aber eben auch mit Reden, welche die Städte und ihre Bewohner zur Eintracht mahnen sollten. Niemand sonst konnte damals die ideologischen und moralischen Grundsätze der politischen Ordnung des Reiches und seiner in den Städten beheimateten Kultur so eindringlich, verständlich und entsprechend den Anforderungen des Zeitgeschmacks formulieren. Darin lag der unschätzbare Wert ihrer Tätigkeit sowohl für die Stadtgemeinden als auch für die kaiserliche Regierung.

Die Kirche in der Zeit Constantins läßt sich recht wohl mit den Stadtgemeinden des zweiten Jahrhunderts n.Chr. hinsichtlich ihrer

---

[45] G.W. BOWERSOCK, Greek Sophists in the Roman Empire, Oxford 1969.

Stellung zur kaiserlichen Zentralgewalt vergleichen. In beiden Fällen
waren die Partner aufeinander angewiesen. Der Mächtigere der beiden tat gut daran, die Selbstbestimmung und die Selbstachtung des
anderen unerachtet der eindeutigen Machtverhältnisse schonend zu
respektieren. Zugleich mußte er aus eigenem Interesse an der inneren
Einheit und Handlungsfähigkeit des schwächeren Partners interessiert sein, aus ideologischen ebenso wie aus wirtschaftlichen und politischen Gründen. Diese Eintracht wurde weder für die Stadtgemeinden im allgemeinen Frieden der hohen Kaiserzeit noch für die
Kirche nach dem Galerius-Dekret durch äußeren Druck erzwungen,
der innere Differenzen auf ihr rechtes Maß reduziert hätte. Wie Plutarch und Dion aus kaiserlicher Perspektive auf die relative Bedeutungslosigkeit munizipaler Angelegenheiten und etwaiger Streitfälle,
so verwies Constantin auf das geringe Gewicht dogmatischer Differenzen, die in seiner Zeit die Kirche bedrohlich spalteten. Wie die
Adoptivkaiser möglichst rücksichtsvoll mit den Städten umgingen,
so beschränkte sich Constantin im Wesentlichen darauf, den kirchlichen Würdenträgern gut zuzureden.

Schon Constantins Nachfolger schlug jedoch andere Töne an und
scheute sich nicht vor dem Gebrauch kaiserlicher Macht in kirchlichen Angelegenheiten. Das entsprach den Gepflogenheiten im spätantiken Staat weit mehr als Constantins Behutsamkeit. Die Unsi-
cherheiten und Nöte der Krisenzeit des dritten Jahrhunderts hatten
das soziale Klima rauher werden lassen, und nicht zuletzt als Folge
davon schlossen die stabilisierenden Reformen Diokletians und Constantins auch Maßnahmen und Praktiken ein, die dem humanen Geist
des Adoptivkaisertums fremd gewesen waren. Die im persischen Ze-
remoniell sichtbare sakrale Unnahbarkeit der Person des Kaisers, die
Dominanz der Armee angesichts der Barbareneinfälle, die steigenden
Steuern, für welche die städtische Oberschicht haftete, die ausufern-
de Zentralbürokratie, die Zwangskorporationen bestimmter Berufs-
gruppen und anderes mehr waren weder der relativen Selbständigkeit
noch dem Selbstgefühl der Stadtgemeinden günstig. Die Kaiser
stammten schon länger nur noch selten aus der städtischen Oberschicht, sondern waren über die Armee aus weniger gebildeten und

saturierten Kreisen auf den Thron gelangt. Die Schlagkraft der Armee beruhte weitgehend auf Kontingenten germanischer und sonstwie barbarischer Herkunft, deren Befehlshaber oft in hohe Kommando- und Verwaltungsstellen und in die entsprechende Gesellschaftsschicht aufstiegen, ohne immer an deren städtisch geprägter Bildung teilzuhaben. Das alles beeinträchtigte die munizipale Selbstverwaltung, zumal deren Träger unter dem Druck zunehmender finanzieller Belastung ihre Funktionen gelegentlich an die Kirche oder an Eigentümer großer Ländereien mit eigener Verwaltungsstruktur abtreten mußten[46]. Neben die Sophisten als Sprecher der Städte traten jetzt Bischöfe und christliche Prediger wie etwa Johannes Chrysostomus nach den Krawallen von 387 n.Chr.[47].

In dieser längeren Entwicklung wurden die Städte mehr und mehr zu Objekten staatlichen Handelns, ohne die neuen Verhältnisse mitgestalten zu können. Die Kirche hingegen hatte auf der Basis langer Unabhängigkeit vom Staat ihre Kraft bewährt und wurde seit Constantin zum staatstragenden Faktor. Aber daß ihre Einmütigkeit dabei so schnell in Gefahr geriet, machte sie bei allem Zuwachs an sozialem Gewicht und politischem Einfluß auf lange Zeit vom Kaiser abhängig, zumal dieser sich wiederum auf die von ihr verwaltete Religion als sakrale Grundlage der politischen Ordnung stützen wollte. Geistliche Autorität zwar brachten kirchliche Würdenträger auch später selbst gegenüber dem Kaiser immer wieder zur Geltung[48].

---

[46] Die Wahl des Katechumenen Ambrosius, bis dahin als Consularis hoher Beamter, zum Bischof von Mailand erfolgte, um Unruhen in der Stadt zu vermeiden, und entsprach dem Wunsch des Kaisers, der Ambrosius' Freimut schätzte (Ruf., h. e. XI 11; Soz., h. e. VI 24; Socr., h. e. IV 30; Thdt., h. e. IV 7). Vergleichbar ist die Wahl des Heiden und nachträglich getauften Synesius (Synes., ep. 105) zum Bischof von Kyrene in einer politisch schwierigen und militärisch bedrohlichen Situation. Voraussetzung für diese Vorgänge war der Umstand, daß heidnische und christliche Angehörige der Oberschicht oft gute gesellschaftliche Beziehungen untereinander unterhielten, was z. B. im Fall des Synesius ausdrücklich bezeugt ist.

[47] Nicht weniger als 22 seelsorgerliche Predigten des Johannes Chrysostomus sind überliefert. Er hielt sie anläßlich von Krawallen in Antiochien i. J. 387, bei denen Kaiserstatuen umgestürzt wurden und die Stadt ein strenges Strafgericht erwartete.

[48] Das berühmteste Beispiel dafür ist die oben erwähnte von Ambrosius erzwungene Kirchenbuße des Kaisers Theodosius I. (Thdt., h. e. V 18), eines besonders energischen Herr-

Aber im Ziel der kirchlichen Einheit auf der Grundlage einer ver-
bindlichen Lehre trafen sich fortan kirchliche und staatliche Interessen. Die Übereinstimmung in Glaubensfragen unter den kirchlichen
Amtsträgern wurde jetzt oft nur durch kaiserliche Intervention
erreicht und mit kaiserlicher Macht durchgesetzt. Das war etwas anderes als die autonom herbeigeführten Entscheidungen der vorkonstantinischen Kirche und die dadurch bewirkte, wie immer unvoll-
kommene Einmütigkeit.

Die Osthälfte des Reiches war im vierten Jahrhundert von außen
unmittelbar weniger bedroht als der Westen, und alte Probleme wie
der Gegensatz zwischen reich und arm bestanden für die Städte weiter. Aufschlußreich ist hier der Panegyrikus, den der Rhetor Libanius
seiner Vaterstadt widmete. Wenn es dort heißt, daß in Antiochien
anders als anderswo die Fürsorge der Reichen, die das Stadtregiment
bilden, keine Spannung zwischen reich und arm aufkommen lasse,
daß in dieses gegenseitige Wohlwollen die umwohnende Landbevölkerung eingeschlossen sei und das Volk seinen Ratsherren folge wie
Kinder ihrem Vater, dann sind damit genau die alten neuralgischen
Punkte im sozialen Leben der Städte des Reiches bezeichnet. Die
von Plutarch lange zuvor als unvermeidlich betrachtete Animosität
der Unterschicht leugnet der Panegyriker ausdrücklich, obwohl sie
unter den Verhältnissen des vierten Jahrhunderts gewiß eher zu- als
abnahm. Damals nämlich entstanden große, halbfeudale Besitzun-
gen, deren Eigentümer den von ihnen ganz abhängigen Bewohnern
ihrer Ländereien Schutz gewährten, zugleich aber das Privileg, auf
ihrem Territorium staatliche Funktionen in Verwaltung und Recht-
sprechung auszuüben, erringen konnten und dafür dem Kaiser das
Steueraufkommen garantierten. Das war mit einer dementsprechen-
den Konzentration des Reichtums verbunden und sicherlich nicht ge-
eignet, die Spannungen zwischen reich und arm zu verringern. Es
war die Autorität der Kleriker und vor allem der im Geruch der Heiligkeit stehenden Asketen, bei denen die Armen nicht nur vor der

schers, der wie kaum ein zweiter die Christianisierung des Reiches durch Maßnahmen gegen Heiden, Juden und Häretiker voranzutreiben suchte.

Willkür von Beamten, sondern auch der Landbesitzer Zuflucht fanden[49].

Die soziale Harmonie, die Libanius rühmend beschreibt, gründet sich nach seinen eigenen Worten auf den strikten Gehorsam der Unter- gegenüber der Oberschicht und aller gegenüber dem Kaiser. Die Mahnung zur Eintracht in der Publizistik des zweiten Jahrhunderts hatte bei aller Anerkennung kaiserlicher Macht, die allein Frieden und Sicherheit gewährte, gerade auch an Bürgersinn und Bürgerstolz appelliert. Aus Libanius' Sicht ergab sich sozialer Friede aus dem Gehorsam der Untertanen, so schlecht es damit in der extravaganten Atmosphäre der Großstadt am Orontes gelegentlich auch bestellt sein mochte. Kaiser Julian mußte das erfahren.

Und damit komme ich zum Schluß. Bei aller Verschiedenheit in der Sache und im Zeitmaß zeigt sich die auffallende strukturelle Parallele zwischen einem kirchen- und einem profangeschichtlichen Vorgang. Zwei Systeme sozialer Ordnung, Städte und Territorialmonarchie beziehungsweise Kirche und Römerreich, koexistieren getrennt voneinander, bis Ereignisse wie der Alexanderzug mit seinen Folgen und die konstantinische Wende sie in eine Symbiose bringen. Darin ist zwar in beiden Fällen die Machtverteilung ungleich, doch sehen sich die jeweiligen Partner gegenseitig aufeinander angewiesen. Die Verschiedenheit in den Interessen und Wertvorstellungen in einer solchen societas leonina muß darum anfangs vorsichtig austariert werden. Gerade der Stärkere sucht die materiellen oder geistigen Ressourcen des Schwächeren zu nutzen und enthält sich deshalb allzu drastischer, Empfindlichkeiten weckender Eingriffe in die Angelegenheiten des Schwächeren. Im Laufe der Zeit aber vermag er ihn in sein System soweit zu integrieren, daß eine neue Einheit entsteht, deren Teil die Domäne des Schwächeren

---

[49] Lib., or. 11,150–158 Versorgung und Folgsamkeit der Armen; Kaisertreue aller (159); Wohltätigkeit gegenüber Fremden (175); Wehrhaftigkeit der Bürger (177); Harmonie zwischen Städtern und Landbewohnern (230). Über Armut und Bettlerelend in Antiochien spricht Libanius in den Reden 7 und 8. Das Phänomen der sozialen Schutzfunktion heiligmäßiger Asketen in der Spätantike hat zuerst Peter BROWN ausführlich behandelt (Society and the Holy in Late Antiquity, London 1982; DERS., Authority and the Sacred, Cambridge 1995).

wird. Er verliert damit einen Großteil seiner Eigenständigkeit, selbst wenn alte Institutionen und Bezeichnungen weiterbestehen. Nunmehr neu auftretende Konflikte sind danach aber als systemimmanent zu definieren, nicht mehr als Ausdruck eines von beiden Partnern anerkannten oder empfundenen Dualismus. Das gilt in der Spätantike sowohl für die Kirche nach Constantin als auch für die Stadtgemeinden, jedenfalls im griechischen Osten. Im Westen verlief wegen des Wegfalls der alten Zentralgewalt und des Aufkommens neuer Staatsgebilde in der Völkerwanderungszeit die Entwicklung in anderen Bahnen[50]. Die berühmte Demütigung Theodosius' I. durch Ambrosius deutet schon voraus auf das für den Westen typische, im griechischen Osten weit weniger ausgeprägte Nebeneinander geistlicher und weltlicher Macht während des Mittelalters. Für das vierte Jahrhundert jedoch, so darf man wohl sagen, zeigt dieses Ereignis, das sich zwischen zwei gerade in religiösen Fragen einigen hohen Würdenträgern aus Staat und Kirche abspielte, daß die Kirche gegen Ende des Jahrhunderts zum festen, unbestrittenen Bestandteil der staatlich-gesellschaftlichen Ordnung geworden war. Die Bemühungen der ersten Nachfolger Constantins, insbesondere Constantius' II., hatten das bewirkt. Weder die Krise um Julian noch die Toleranz Valerians I. oder die Fortdauer des Heidentums im aristokratischen und intellektuellen Milieu, vom verbreiteten Überleben volkstümlicher Kulte ganz zu schweigen, konnten diese Entwicklung hemmen. Trotz des fortgesetzten innerkirchlichen Streites um das Dogma bewährte sich der alte Grundsatz aller vormodernen Staatswesen, daß Bürgergemeinde und Kultgemeinde identisch sein müssen. Im Bemühen um die Einheit der Kirche als eines Teils der Ordnung des Reiches lassen sich darum religiöse und politische Motive der handelnden Herrscher nicht säuberlich trennen.

Was aber die Homonoia, die Eintracht im Gemeinwesen angeht, so darf man vielleicht in folgender Weise resümieren: Wird unmittelbarer oder drohender Druck aus Nähe oder Ferne nicht wahr-

---

[50]   Zur kirchlichen Entwicklung im Westen des Reiches CHADWICK, The Church in Ancient Society (wie Anm. 3), 675–683.

genommen, geht der Maßstab für das relative Gewicht und die tatsächlichen Gefahren innerer Interessengegensätze verloren. So verschwindet die Geschlossenheit des Gemeinwesens, die wichtigste Voraussetzung korporativen Handelns. Besteht nun bereits eine feste Beziehung zu einem Partner mit überlegener Macht und vitalem Interesse an den Ressourcen des Gemeinwesens, wird dieser angesichts einer geminderten Handlungsfähigkeit des schwächeren Partners alle Initiative an sich ziehen und die Selbstbestimmung des Gemeinwesens möglichst einschränken. Haben wir ähnliches nicht in der Universitätsgeschichte der letzten Jahrzehnte erlebt?

Kirchengeschichte zwischen historischer Rekonstruktion und Gegenwartsorientierung – Hans von Campenhausen als Historiker und Theologe[1]

von Winrich A. Löhr

Die Kirchengeschichte kann sich – wie jede Geschichtsschreibung – auf doppelte Weise engagieren: Zum einen, indem sie sich bemüht, die vergangene Geschichte des Christentums durch Analyse und Erzählung zu rekonstruieren und für die eigene Gegenwart präsent zu halten, zum anderen, indem sie auf eben diese Weise die eigene Gegenwart kommentiert und interpretiert, deren Perspektive in die rekonstruierte Geschichte auf die eine oder andere Weise einschreibt und so eine besondere Art von Transparenz herstellt, die historisches Verständnis und Gegenwartsorientierung zugleich ermöglicht. In diesem Fall bemißt sich die Qualität historischer Arbeit daran, inwieweit sie für beide Engagements sensibel bleibt, ohne das eine für das andere aufzugeben oder beide auf kurzschlüssige Weise miteinander zu verrechnen. Und so kann dann Kirchengeschichte auch als theologische Disziplin ihren Beitrag leisten.

---

[1] Ausdrücklich hingewiesen sei auf zwei Nachrufe: A. M. RITTER, Hans Freiherr von Campenhausen, ZEvKR 34, 1989, 113–116; B. MOELLER, Nekrolog Hans Freiherr von Campenhausen, HZ 349, 1989, 740–743. Man beachte auch die vergleichende und profilierende Würdigung von A. M. RITTER, Hans von Campenhausen und Adolf von Harnack, ZThK 87, 1990, 324–339. Das dort zur Biographie und akademischen Karriere Gesagte ist in diesem Werkporträt nicht zu wiederholen. Dr. Ruth Slenczka, Mainz, danke ich für eine Kopie der von Campenhausen verfaßten Bibliographie seiner Veröffentlichungen. Natürlich konnte ich nicht alle Veröffentlichungen Campenhausens berücksichtigen (z. B. nicht seine in den „Theologischen Blättern" veröffentlichten Aufsätze). – Die drei Aufsatzbände Campenhausens werden wie folgt abgekürzt: Tradition und Leben = H. FREIHERR VON CAMPENHAUSEN, Tradition und Leben. Kräfte der Kirchengeschichte. Aufsätze und Vorträge, Tübingen 1960; Aus der Frühzeit des Christentums = DERS., Aus der Frühzeit des Christentums. Studien zur Kirchengeschichte des ersten und zweiten Jahrhunderts, Tübingen 1963; Urchristliches und Altkirchliches = DERS., Urchristliches und Altkirchliches. Vorträge und Aufsätze, Tübingen 1979.

Das Œuvre des Heidelberger Kirchengeschichtlers und Neutestamentlers Hans von Campenhausen ist ein herausragendes Beispiel für kirchengeschichtliche Arbeit im Spannungsfeld zwischen historischer Rekonstruktion und Gegenwartsorientierung. Wenn man sich mit den Arbeiten von Campenhausen etwas stärker beschäftigt, erkennt man bald die bemerkenswerte Kombination von intellektueller Spannweite, gedanklicher Geschlossenheit und theologisch engagierter Zeitgenossenschaft, die sich hier artikuliert. Die Spannweite steht außer Frage: Lag auch der Schwerpunkt der Arbeiten Campenhausens gewiß auf dem Neuen Testament und der Alten Kirche, so war doch die gesamte Christentumsgeschichte seine Provinz: Seine Bibliographie weist Beiträge zur Geschichte der christlichen Kunst, zur Reformationsgeschichte und auch zur Orientierung in den weltanschaulichen Debatten der bundesrepublikanischen Nachkriegszeit auf.

Die Dissertation, mit der er 1926 von der Theologischen Fakultät in Heidelberg promoviert wurde (Doktorvater: Hans von Schubert) und die 1929 in erweiterter Form erschien, hatte „Ambrosius von Mailand als Kirchenpolitiker" zum Gegenstand[2]. Das Thema war geschickt gewählt; es verband die Beschäftigung mit der Persönlichkeit eines spätantiken Aristokraten, der Bischof und Theologe wurde, mit dem weiteren Thema der Etablierung der spätantiken Staatskirche. In dieser Kombination hatte es biographische und zeitgenössische Resonanzen. Zum forschungsgeschichtlichen Kontext der ambitionierten Erstlingsarbeit ist zu bemerken, daß seit Anfang des 20. Jahrhunderts besonders der große Philologe und Althistoriker Eduard Schwartz das Thema der spätantiken Kirchenverfassung und Kirchenpolitik bearbeitet hatte. Schwartz wollte dabei durch seine monographischen Aufsätze und Editionen keinen Beitrag zur Kirchengeschichte leisten, sondern vertrat in der Tradition der deutschen Altertumswissenschaft des 19. Jahrhunderts den programmatischen Anspruch, die Grenzen der Fachdisziplinen zu destruieren und auf

---

[2] H. FREIHERR VON CAMPENHAUSEN, Ambrosius von Mailand als Kirchenpolitiker, AKG 12, Berlin/Leipzig 1929.

diese Weise die Totalität des geschichtlichen Lebens der Spätantike zu erfassen. Nach seiner Überzeugung – und hierin war er mit seinem Antipoden Adolf von Harnack einig – sind historische Entwicklungen am besten institutionengeschichtlich zu erfassen; seine Analysen der Institutionen der Alten Kirche standen unter dem Eindruck der Arbeiten Rudolph Sohms. Campenhausen hatte natürlich die Arbeiten von Eduard Schwartz wahrgenommen. Doch greift seine Ambrosiusmonographie nicht deren spezifische Perspektive auf. Vielmehr bewegte ihn eine profiliert kirchengeschichtliche Fragestellung mit Gegenwartsbezug, nämlich die des Verhältnisses von Staat und Kirche. Campenhausen will zeigen, daß Ambrosius hier eine Schlüsselstellung für die Geschichte des „abendländisch-römischen Kirchentums" zukommt: Nachdem im Laufe des vierten Jahrhunderts die Kirche dazu gekommen sei, „im Dogma den entscheidenden religiösen Besitz und in der Unabhängigkeit der Geistlichkeit die unumgänglichste Garantie der kirchlichen Freiheit zu erblicken"[3], hat Ambrosius auf dem so umschriebenen Fundament eine durch das nicänische Dogma definierte Staatskirche errichtet. Im Hintergrund sind hier ziemlich vollständig die starken theologischen Interpretationsmuster neuprotestantischer Kirchengeschichtsschreibung versammelt: So meint Campenhausen zum Beispiel, daß sich das westliche Christentum mit seiner Betonung der Unabhängigkeit der Kirche in seinen Verfassungsformen grundsätzlich vom östlichen Christentum unterscheidet oder daß die von Ambrosius geprägte abendländisch-römische Kirche ihr größtes Defizit darin habe, daß der Begriff der Kirche nicht relativierend auf einen jede empirische Kirchlichkeit transzendierenden Begriff von Christentum bezogen wird. Das impliziere konsequenterweise eine Gleichsetzung von Rechtgläubigkeit und Glaube, von christlicher Sittlichkeit und Werkgerechtigkeit beziehungsweise Askese sowie ein wesentlich sakramental vermitteltes Heil[4]. Aus der Unklarheit des Kirchenbegriffs folgt für Campenhausen schließlich die mangelnde Unterscheidung

---

[3]   Ebd., 1–3.
[4]   Ebd., 272.

von Staat und Kirche, durch die sowohl das „Wesen des Politischen"
als auch das „Wesen des Christentums" verfehlt wird. Dem abendländisch-römischen Katholizismus fehlt, so könnte man vielleicht
pointierend zusammenfassen, die protestantische Innerlichkeit, der
Glaube, dessen Begriff die Freiheit immer schon impliziert[5]. Die
letzten Zeilen der Monographie gelten Augustin, dem Campenhausen
eben jene Kritik der vorfindlichen Kirchlichkeit zutraut, die er bei
Ambrosius vermißt.

Man kann die so profilierte Ambrosius-Interpretation natürlich
auch vor dem Hintergrund der durch den Zusammenbruch von 1918
notwendig gewordenen Neubestimmung der Position der evangelischen Kirchen in der Weimarer Republik lesen. Aber man würde
dann nur konstatieren können, daß nichts in der Erstlingsarbeit darauf hindeutet, daß der politische Zusammenbruch die wesentlichen
theologischen Interpretationsmuster in Frage gestellt hätte[6]. Das

---

[5] Ebd., 276–277. Der Ton der Kritik ist hier liberal-protestantisch gestimmt: „Ambrosius
macht gerade die möglichst diskussionslose, also innerlich unfreie Aneignung der dogmatischen Wahrheit zum Kennzeichen wahrer Frömmigkeit. Der Gedanke der Freiheit kann als
eine weitere Forderung wohl hinzutreten, ist aber im Begriffe des Glaubens nicht wesens-
mäßig mit gesetzt. Wo die Dinge so liegen, muß die Versuchung immer wieder übermäch-
tig werden, der feineren Arbeit des Seelsorgers von außen her mit einem stärkeren oder
schwächeren staatlichen Drucke nachzuhelfen." (ebd., 277)

[6] Das heißt aber nicht, daß nicht hier und da der Text für die zeitgenössischen Debatten über
Aufgabe und Stellung der Kirchen durchsichtig wird. So sind Anklänge an den Jargon zeit-
genössischer konservativer Kulturkritik unüberhörbar, wenn Campenhausen zum sozialen
Wirken des Bischofs Ambrosius schreibt: „Ambrosius verlangt Sicherheit des Eigentums,
Gerechtigkeit der Verwaltung, Freiheit der Meinung und der Meinungsäußerung – und zwar natürlich im Interesse der Kirche und für seine Gemeindeglieder; aber er ist sich dessen doch
bewußt, damit im Grunde nur allgemeine Menschenrechte zu vertreten, und beschränkt
seine praktischen Hilfeleistungen auch keineswegs auf die Anhänger seines Glaubens. So
setzt die Priesterkirche kraft ihrer Zucht und kraft ihrer moralischen Autorität in der politisch atomisierten Gesellschaft dieser Spätzeit selbst wieder neue Bindungen und schafft
eine neue lebendige Gemeinschaft, die der verödenden Bürokratie der Staatsverwaltung
entzogen bleibt. Aus kleinsten Kreisen organisch und aristokratisch aufgebaut, wird sie
in dem allgemeinen Verfall zur einzigen zukunftskräftigen Keimzelle neuen sozialen Lebens ... So wird die Idee der Kirche nicht verraten, aber die Macht und Freiheit des Klerus
werden zum Bollwerk der öffentlichen Freiheit und des Rechts überhaupt." (ebd., 270–
271) Dem so charakterisierten Bischof Ambrosius hätte gewiß der Berliner Generalsuper-
intendent O. DIBELIUS seinen Respekt nicht versagen können, der zu dieser Zeit seine
grundsätzlich optimistische Vision der Rolle einer evangelischen Volkskirche in der neu-

Thema „Staat und Kirche" sollte Campenhausen auch später noch wiederholt aufgreifen, ohne seine schon in der Erstlingsarbeit angedeutete grundsätzliche Position – die in der lutherischen Tradition stehende Betonung einer heilsamen Unterscheidung beider Sphären – wesentlich zu modifizieren[7].

Demonstrierte schon die Ambrosiusmonographie in manchen Passagen und auch in den leitenden Fragestellungen ein ausgeprägt ideengeschichtliches Interesse[8], so ist die Feststellung berechtigt, daß das wissenschaftliche Œuvre Campenhausens sich mit den folgenden Publikationen wesentlich als der großangelegte und durchgeplante Versuch darstellt, die Geschichte des antiken Christentums als Ensemble von Begriffs- und Ideengeschichten aus einer profiliert protestantischen Perspektive zu erzählen. Auf diese Weise beschäftigte Campenhausen sich mit allen wesentlichen Idealen und Normen

gegründeten Weimarer Republik publizierte (Das Jahrhundert der Kirche, Berlin 1926). Vgl. auch ebd., 95–98, wo Campenhausen die Thesen von R. WIRTZ, Der heilige Ambrosius und seine Zeit, Trier 1924, zurückweist, der nach den Worten Campenhausens Ambrosius „als eine Art Anhänger der Rassenhygiene im modernen Sinne" verstehen wollte.

[7]   Vgl. 1. Gottesgericht und Menschengerechtigkeit, in: Weltgeschichte und Gottesgericht, Lebendige Wissenschaft 1, Stuttgart 1947, 19–32 (= Tradition und Leben [wie Anm. 1], 343–360). Hier handelt es sich um eine Rede, die Campenhausen 1946 als Rektor der wiedereröffneten Heidelberger Universität aus Anlaß der 400. Wiederkehr des Todestages Martin Luthers hielt; 2. Das Augsburgische Bekenntnis über Politik und Staat, FAB 2, 1948, 522–529 (non vidi); 3. Zum Verständnis von Joh. 19,11, ThLZ 73, 1948, 387–392 (= Aus der Frühzeit des Christentums [wie Anm. 1], 125–134); 4. Zur Auslegung von Röm. 13, in: FS A. Bertholet zum 80. Geburtstag gewidmet von Kollegen und Freunden, hg. durch W. BAUMGARTNER/O. EISSFELDT/K. ELLIGER/L. ROST, Tübingen 1950, 97–113 (= Aus der Frühzeit des Christentums [wie Anm. 1], 81–101); 5. Die Entstehung der byzantinischen und abendländischen Staatsauffassung des Mittelalters, ThLZ 76, 1951, 203–208 (Rezension zu: H. BERKHOF, Kirche und Kaiser. Eine Untersuchung der Entstehung der byzantinischen und der theokratischen Staatsauffassung im vierten Jahrhundert, Zollikon/Zürich 1947); 6. Der Kriegsdienst der Christen in der Kirche des Altertums, in: Offener Horizont, FS K. Jaspers, München 1953, 255–264 (= Tradition und Leben [wie Anm. 1], 203–215); 7. Die ersten Konflikte zwischen Staat und Kirche und ihre bleibende Bedeutung, Univ. 9, 1954, 267–273 (= Urchristliches und Altkirchliches [wie Anm. 1], 353–360); 8. Die Christen und das bürgerliche Leben nach den Aussagen des Neuen Testamentes (= Tradition und Leben [wie Anm. 1], 180–202).

[8]   Dabei stieß manche Zuspitzung nicht auf die ungeteilte Zustimmung der Leser und Rezensenten, vgl. z. B. W. VÖLKER, ThLZ 56, 1931, 469–472; J. HALLER, Das Papsttum. Idee und Wirklichkeit, Bd. 1 Die Grundlagen, Urach/Stuttgart 1950, 517.

des antiken Christentums: Askese, Martyrium, Amt, Schlüsselgewalt, Kanon, Bekenntnis usw. Diese Konzeption setzt auf eigene, gewiß abgewandelte und aktualisierte Weise die Tradition idealistischer Geistesgeschichte fort, der sich zum Beispiel Adolf von Harnack verpflichtet fühlte: Ihm zufolge zielt das Studium der Geschichte auf die Erkenntnis der geschichtlich gewordenen Institutionen. Hinter den Institutionen aber stehen die Ideen und letztlich der Geist, aus denen sie stammen[9]. In anderer Weise als Adolf von Harnack bezieht sich Campenhausen bei seinen Ideengeschichten immer wieder auf einen normativen Begriff des Christentums, den er durch die kritische Rekonstruktion des historischen Jesus sowie des urchristlichen Zeugnisses von Christus (besonders bei Paulus und im Corpus Johanneum) gewinnt.

Ein erster, in der Folgezeit sehr breit rezipierter Versuch in dieser Richtung lag bereits mit dem 1930 publizierten Aufsatz über „Die asketische Heimatlosigkeit im altkirchlichen und frühmittelalterlichen Mönchtum"[10] vor, der das Ideal der „xeniteia" oder „peregrinatio" von seinen Wurzeln bei Philo von Alexandrien und dem Neuen Testament bis zu ihrer Rezeption und auch Umformung im irischen und angelsächsischen Mönchtum des Frühmittelalters aufhellte. Der Schluß dieses Aufsatzes rekurriert in charakteristischer Weise auf askesekritische Interpretationsmuster protestantischer Theologie: Campenhausen begreift – und hier steht auch die eigene Biographie im Hintergrund – die asketische Heimatlosigkeit als Exemplifizierung eines religionspsychologischen Gesetzes: Wem Gott zum wirklichen persönlichen Erlebnis wird, dem zerbricht die Bindung an die Heimat als an das „bloß Ererbte und Eigene und darum Geliebte". Nur wer das eigene Ich („sein letztes Eigentum") im

---

[9]   Vgl. A. von Harnacks Vortrag auf der Aarauer Studentenkonferenz von 1920: A. VON HARNACK, Was hat die Historie an fester Erkenntnis zur Deutung des Weltgeschehens zu bieten?, in: A. VON HARNACK, Ausgewählte Reden und Aufsätze, Berlin 1951, 181–204; s. auch J. MEHLHAUSEN, Art. Geschichte/Geschichtsschreibung/Geschichtsphilosophie VII/2, in: TRE, Bd. 12, Berlin/New York 1984, (643–658) 651.

[10] H. FREIHERR VON CAMPENHAUSEN, Die asketische Heimatlosigkeit im altkirchlichen und frühmittelalterlichen Mönchtum, SGV 149, Tübingen 1930 (= Tradition und Leben [wie Anm. 1], 290–317).

Dienst am Nächsten preisgebe, dem könne dann auch die Heimat als irdisches Gut von Gott neu geschenkt werden. Diese Entäußerung in der Nächstenliebe hieße dann, das altkirchliche Ideal der peregrinatio wirklich konsequent umzusetzen, aber eben dies, so das theologische Urteil Campenhausens, hätten die asketisch heimatlosen Mönche nicht realisiert: „Wie jedes asketische Ideal bedeutet auch die asketische Heimatlosigkeit eine zwar großartige, aber im Grunde doch dämonische und verzweifelte Verzerrung dessen, was christlich ist."[11]

In größerem Rahmen erprobte Campenhausen seine Methode einer theologisch profilierten Ideen- und Begriffsgeschichte erstmals in der 1936 veröffentlichten, überaus gelehrten und konzisen Monographie „Die Idee des Martyriums in der alten Kirche"[12]. Das Buch ist als ideengeschichtliches Kompendium zum Martyriumsbegriff des antiken Christentums bis heute nicht ersetzt. Wiederum hat das der Mutter gewidmete Werk einen biographischen Bezug; das Gedächtnis des 1919 von den Bolschewiken ermordeten Vaters steht unausgesprochen im Hintergrund. Forschungsgeschichtlich intervenierte das Buch in eine Diskussionslage, die durch die zum Teil rund zwanzig Jahre zurückliegenden Voten von so verschiedenen Gelehrten wie unter anderem Ferdinand Kattenbusch, Adolf Schlatter, Karl Holl und Richard Reitzenstein bestimmt war. Auch wird in der „Idee des Martyriums" eine – gewiß durch den Kirchenkampf (Campenhausen war wie sein Lehrer Hans von Soden Mitglied der Bekennenden Kirche) angeregte – intensivierte theologische Reflexion sichtbar. Für das wissenschaftliche Gesamtwerk ist die „Idee des Martyriums" von schlechthin zentraler Bedeutung, sind hier doch die meisten der später entfalteten Themen und Konzeptionen schon angedeutet.

---

[11] CAMPENHAUSEN, Tradition und Leben (wie Anm. 1), 317. – Das Thema der Askese hat Campenhausen später wieder aufgenommen: DERS., Die Askese im Urchristentum, SGV 192, Tübingen 1949 (= Tradition und Leben [wie Anm. 1], 114–156): Askese im Neuen Testament als Antwort auf den unbedingten Ruf in die Nachfolge Christi ist je und je möglich, aber nicht im Sinne einer Verzichtleistung, die auf eine gesetzliche Forderung antwortet.

[12] H. FREIHERR VON CAMPENHAUSEN, Die Idee des Martyriums in der alten Kirche, Göttingen 1936; 2., durchgesehene und ergänzte Auflage, Göttingen 1964.

Das Buch hat eine simple, die Fülle des Stoffes bändigende Dramaturgie: In fünf gedrängten und mit gelehrten Fußnoten gespickten[13] Kapiteln wird die Geschichte der christlichen Martyriumsidee als Dekadenzgeschichte entfaltet[14]. Nach Campenhausen sind die „Idee des Martyriums und die Vorstellung des Märtyrers ... christlichen Ursprungs"[15]. Dies ist aber nicht so sehr eine religionsgeschichtliche These, sondern ist für Campenhausen schon im Begriff des Martyriums, das immer auf Christus bezogen ist, mitgesetzt. Damit wird eine mögliche pagane oder jüdische Geschichte der Martyriumsidee von vornherein ausgeschlossen. Wo die Bindung an Christus und das Christuszeugnis so wie in der Alten Kirche und in der mittelalterlichen Kirche verlorengeht, so die wie ein cantus fir-

---

[13] Bei der Sekundärliteratur und auch bei den Quellen ist das Bemühen um Vollständigkeit unübersehbar. Wenn Campenhausen im Vorwort der 2. Auflage von 1964 bemerkt: „Zum mindesten hoffe ich, daß das Buch als eine Art Repertorium brauchbar bleibt, das die altkirchlichen Aussagen unter theologischen Gesichtspunkten historisch geordnet hat. Mir ist keine neuere Arbeit bekannt geworden, die die Geschichte des Märtyrergedankens in dieser Weise bis an die Schwelle des vierten Jahrhunderts zusammenhängend verfolgt hätte", so ist mit dieser Bemerkung auch bald vierzig Jahre nach ihrer Niederschrift der fortdauernde Nutzen dieses Buches immer noch bezeichnet. Manche der Fußnoten sind selbst kleine Monographien, vgl. z. B. Anm. 8, 125–127 zum sofortigen Zugang des Märtyrers zum Paradies. Campenhausen ist u. a. in folgenden Veröffentlichungen auf die Thematik der Märtyrer/des Martyriums zurückgekommen: 1. Perpetua (1), in: PRE, Bd. 19/1, Stuttgart 1937, 901–902; 2. Das Martyrium in der Mission, WuT(B) 13, 1937, 161–178 (non vidi); 3. Bearbeitungen und Interpolationen des Polykarpmartyriums, SHAW.PH 1957/3, Heidelberg 1957 (= Aus der Frühzeit des Christentums [wie Anm. 1], 253–301). Die hier – im Anschluß an E. Schwartz – entwickelten Thesen werden in der jüngsten Forschung – wohl zu Recht – mehr und mehr abgelehnt; die schon in der ‚Idee des Martyriums' angedeutete Meinung Campenhausens, daß der Nachahmungsgedanke nicht urchristlich sei, wird hier in problematischer Weise literarkritisch verifiziert; 4. Das Martyrium des Zacharias. Seine früheste Bezeugung im zweiten Jahrhundert, HJ 77, 1958, 383–386 (= Aus der Frühzeit des Christentums [wie Anm. 1], 302–307). 5. Märtyrerakten, in: RGG³, Bd. 4, Tübingen 1960, 592–593.

[14] Mir scheint diese Charakterisierung gerechtfertigt, obwohl ich mir natürlich bewußt bin, daß von Campenhausen den Dekadenzbegriff weder hier noch in den folgenden Monographien explizit verwendet. Vgl. aber die diesbezüglichen kritischen Bemerkungen von A. M. RITTER, Hans von Campenhausen und Adolf von Harnack, ZThK 87, 1990, 332–339, der zu Recht zwischen den Positionen Sohms, Harnacks und Campenhausens differenziert.

[15] CAMPENHAUSEN, Idee des Martyriums (wie Anm. 12), 1.

mus von der ersten bis zur letzten Seite wiederholte These des Buches, dort wird die urchristliche Idee des Martyriums verflacht und
banalisiert. Erst die Reformation habe den Blick auf die ursprüngliche Märtyreridee wieder zurückgelenkt. „Die religiösen Voraussetzungen der Märtyreridee" (Kapitel 1) sind somit die eschatologische
Botschaft Jesu und sein Kreuzestod sowie die Leidenstheologie des
Apostels Paulus. Der Begriff des Märtyrers aber stammt – so meint
Campenhausen in der ersten Auflage 1936 – wesentlich aus den johanneischen Schriften des Neuen Testaments (Kapitel 2): Märtyrer
waren diejenigen, die in Gehorsam zum geschichtlichen Zeugnis des
Herrn diesen Herrn Jesus Christus bezeugen und dieses Zeugnis dadurch besiegeln und endgültig machen, daß sie den Tod erleiden. Der
ursprüngliche Sinn des Martyriums ist damit heilsgeschichtlich-
eschatologisch, hier „vollzieht sich ein Stück von Gottes letztem Reden mit der Menschheit", der Märtyrer hat durch das Martyrium eine
unmittelbare Gemeinschaft mit seinem Herrn, er „ist gleichsam nur
mit eingeschlossen in den überindividuellen, eschatologischen Prozeß"[16]. Die Dekadenzthese wird dann in den Kapiteln 3–5 vollends
entfaltet, die Fülle des Materials unter den Überschriften „Christus
und der Märtyrer" (Kapitel 3), „Das Martyrium als menschliche Tat"
(Kapitel 4), und „Der Märtyrer und seine Verfolger" (Kapitel 5) geordnet. Die drei Kapitel setzen jeweils bei der ursprünglichen Idee an
und verfolgen dann deren Zerfall und Verflachung bis ins vierte Jahrhundert hinein. So wird die Dekadenzthese in drei Erzählsträngen
unter jeweils anderem Aspekt vorgetragen: Das Martyrium, so lautet
die Kritik Campenhausens, wandelt sich mehr und mehr zur menschlichen, heroischen Tat, der Bezug auf das geschichtliche konkrete
Christuszeugnis geht verloren. Bei der Beurteilung einzelner Kirchenväter werden hier schon die Kategorien sichtbar, die sich dann
auch in späteren Veröffentlichungen finden werden: So konzediert
Campenhausen Tertullian auf der einen Seite, daß in dessen Martyri-
umstheologie „wirklich urchristliche Töne ... angeschlagen wer-

---

[16] Ebd., 106.

den"[17]. Auf der anderen Seite aber, so moniert er, versteht Tertullian
das Martyrium nicht als geschichtliche Entscheidung in konkreter Situation, sondern als normative, unmittelbar aus der Bibel erwachsen-
de Forderung[18]. Im Hintergrund ist hier – so meint Campenhausen –
ein gesetzlicher Rigorismus spürbar[19]. Und Campenhausen analysiert
dann ausführlich die Widersprüche, in die Tertullian seiner Meinung
nach durch eine gesetzliche Interpretation der ursprünglichen Idee
des Martyriums gerät.

Ähnliche Beobachtungen wie an der Zeichnung Tertullians kann
man auch an weiteren Kirchenväterporträts in der „Idee des Martyriums" anstellen: Origenes erscheint hier als derjenige, der das ambi-
tionierte gnostisierende Märtyrerideal des Clemens von Alexandrien
kirchlich integrieren will: Betont er auf der einen Seite, daß das wahre Martyrium durch die Liebe zu Gott motiviert wird, so kann er andererseits den Schwächen der Normalchristen dadurch entgegen-
kommen, daß er ganz massiv himmlischen Lohn in Aussicht stellt.
Wenn Campenhausen konstatiert: „Origenes bewährt sich damit in
der Tat als der durch und durch ‚kirchliche Mann', der er sein wollte"[20], so ist ein kritischer Unterton unüberhörbar. Das Urteil über
Augustin bleibt ambivalent: Auf der einen Seite nähert er sich dem
urchristlichen Martyriumsbegriff, da er mit seiner Gnadentheologie
die Alleinwirksamkeit Gottes betont und somit einer Heroisierung
des Märtyrers die theologische Grundlage entzieht. Auf der anderen
Seite aber, so Campenhausen, ist das „Fehlen des konkreten christo-
logischen Zeugnisbegriffs"[21] kritikwürdig. Die Interpretationsmuster
einer profiliert protestantischen Kirchengeschichtsschreibung sind
aber nicht nur bei diesen Charakterisierungen einzelner Kirchenväter
präsent, sie werden auch benutzt, um historische Formationen zu erfassen und konfessionell zuzuordnen: Nachdem er die Martyriums-
theologien der Gnostiker und Montanisten sowie von Clemens von

---

[17]   Ebd., 120.
[18]   Ebd., 121–122.
[19]   Ebd.
[20]   Ebd., 130.
[21]   Ebd., 103.

Alexandrien und Tertullian kontrastierend dargestellt hat, schreibt von Campenhausen: „Die kultisch heroisierende und die pädagogisch moralisierende Betrachtung werden jetzt wie auf anderen Gebieten, so auch in der Martyrologie zur Einbruchsstelle, durch die sich das hellenistische beziehungsweise judaistische Denken bald vollends durchsetzt. ... Aber in Wirklichkeit erweist sich der Gegensatz auf die Dauer als gar nicht so groß. Das Märtyrerideal des reiferen Katholizismus kommt eben dadurch zustande, daß beides zusammen genommen wird ... ."[22]

Mit der „Idee des Martyriums" hatte Campenhausen seine Methode gefunden, Ideen- und Begriffsgeschichten aus dem antiken Christentum so zu erzählen, daß gleichzeitig Orientierung und Positionsbestimmung in der selbst erfahrenen kirchlichen Gegenwart ermöglicht wurde. Allerdings war die „Idee des Martyriums" ein sehr durchkonstruiertes, in gewissem Sinne abstraktes Buch. Eine zentrale These, die im zweiten Kapitel entwickelte Herleitung des urchristlichen Märtyrerbegriffes aus dem Corpus Johanneum des Neuen Testaments, hat Campenhausen nach dem Krieg unter dem Eindruck der Arbeiten von Hermann Strathmann und besonders von Norbert Brox revoziert[23]. Doch ist Anlage und Methode dieser Monographie vorbildlich für weitere Arbeiten geworden, besonders für die großen Studien zum altkirchlichen Amt und zum Kanon. Wichtig war dabei, daß der für das theologische Urteil wichtige Bezug auf einen normativen Begriff des Christentums durch die kritische Rekonstruktion des historischen Jesus sowie der paulinischen und johanneischen Theologie konkretisiert wurde. Der hermeneutische Zirkel schließt sich hier mit dem konfessionellen Anspruch, daß eben diese rekonstruierte urchristliche Botschaft in der Reformation wieder zum Zuge gekommen sei.

---

[22] Ebd., 128.
[23] Vgl. das Vorwort zur 2. Auflage 1964. Vgl. aber auch die Bemerkung in: Gebetserhörung in den überlieferten Jesusworten und in der Reflexion des Johannes, in: Urchristliches und Altkirchliches (wie Anm. 1), 178 (= KuD 23, 1977, 169). Dieser letzte Aufsatz aus der Feder Campenhausens lenkt in der Auffassung Johanneischer Theologie zur „Idee des Martyriums" zurück.

Von der Auseinandersetzung der evangelischen Kirchen mit dem totalitären NS-Regime war Campenhausen als Mitglied der Bekennenden Kirche selbst unmittelbar betroffen gewesen; die Heidelberger Professur konnte nicht angetreten werden, weil die NSDAP dies verhinderte. In den theologischen Debatten der dreißiger, vierziger und fünfziger Jahre stellte sich immer wieder die Frage nach der Kirche, ihrer Verfassung und Gestalt und auch ihrer Autorität. Langjährige, bis in die Göttinger Jahre (1930–1937) zurückreichende Vorarbeiten konnte Campenhausen dann in seiner 1953 entstandenen Monographie „Kirchliches Amt und geistliche Vollmacht in den ersten drei Jahrhunderten" zusammenfassen [24]. In gewissem Sinne entfaltet dieses Buch die gleiche Erzählung wie die „Idee des Martyriums" – nur jetzt mit Blick auf die Kirchenverfassung. Der chronologische Rahmen reicht diesmal bis in die Mitte des dritten Jahrhunderts, da Campenhausen glaubt, daß Cyprian im Westen und Origenes im Osten einen gewissen Abschluß der Diskussion bilden. Auch die folgenden Jahrhunderte der Spätantike und des frühen Mittelalters hätten, trotz aller Vertiefung der Konzeptionen bei Augustin und Pseudo-Dionysius Areopagita, keinen Neuansatz gebracht [25]. Das Urchristentum der paulinischen Gemeinden und seine Auffassung von Kirche ist der Maßstab: Weder die liberal-protestantische Beto-

---

[24] H. FREIHERR VON CAMPENHAUSEN, Kirchliches Amt und geistliche Vollmacht in den ersten drei Jahrhunderten, BHTh 14, Tübingen 1953 (englische Übersetzung: Ecclesiastical Authority and Spiritual Power in the Church of the First Three Centuries, London 1969). – An Vorarbeiten sind zu nennen: 1. Die Schlüsselgewalt der Kirche, EvTh 4, 1937, 143–169 (auf Luther fokussiert); 2. Die Anfänge des Priesterbegriffes in der alten Kirche, SEÅ 4, 1939, 86–101 (schwedisch) (deutsch: Tradition und Leben [wie Anm. 1], 272–289); 3. Recht und Gehorsam in der ältesten Kirche, ThBl 20, 1941, 279–295 (= Aus der Frühzeit des Christentums [wie Anm. 1], 1–29); 4. Der urchristliche Apostelbegriff, StTh(R) 1, 1947, 96–130; 5. Lehrerreihen und Bischofsreihen im zweiten Jahrhundert, in: In Memoriam Ernst Lohmeyer, hg. v. W. SCHMAUCH, Stuttgart 1951, 240–249; 6. Die Nachfolge des Jakobus. Zur Frage eines urchristlichen „Kalifats", ZKG 63, 1950, 133–144 (= Aus der Frühzeit des Christentums [wie Anm. 1], 135–151). – Dem Thema „Amt und Vollmacht" kann man auch die Studie: Polykarp von Smyrna und die Pastoralbriefe, SHAW.PH 1951/2, Heidelberg 1951 (= Aus der Frühzeit des Christentums [wie Anm. 1], 197–252) sowie den Aufsatz: Zur Perikope von der Ehebrecherin (Joh 7,53–8,11), ZNW 68, 1977, 164–175 (= Urchristliches und Altkirchliches [wie Anm. 1], 182–196) zuordnen.

[25] CAMPENHAUSEN, Kirchliches Amt und geistliche Vollmacht (wie Anm. 24), 323–324.

nung der Freiheit des Geistes noch die autoritäre, katholische Betonung des Amtes werden diesem Maßstab gerecht. Vielmehr steht über Amt und Charisma die letztlich bestimmende Wirklichkeit des Geistes, der sich in unauflöslicher Korrelation zum Wort oder Zeugnis von Jesus befindet. In Jesus Christus aber fallen Amt und Vollmacht zusammen, oder vielmehr, er transzendiert diese Kategorien und bezeugt so in einmaliger und unüberholbarer Weise Gottes Verheißung und Forderung. Die Apostel sind „weder Charismatiker noch Amtspersonen im üblichen Sinne des Wortes"[26], sondern berufene Zeugen des auferstandenen Herrn. Und auch die Nachfolger der Apostel in den verschiedenen kirchlichen Ämtern haben, recht verstanden, Autorität nur insofern, als sie Christus gegenüber der Gemeinde bezeugen, die durch den Geist selbst dieses Zeugnis hat. Aus paulinisch-charismatischem Kirchentyp und judenchristlich presbyterialer Kirchenverfassung entwickelt sich bei eindeutiger Dominanz der letzteren Größe durch Verschmelzung die Kirche des zweiten und dritten Jahrhunderts. Wie in der „Idee des Martyriums" ist auch hier das Christuszeugnis der Maßstab, an dem gemessen die spätere Geschichte als Abfall und Fragmentierung gelesen werden muß – bei aller Differenzierung und allem Verständnis für die Notwendigkeiten der Sicherung gegenüber zum Beispiel der „gnostischen Gefahr": Das kirchliche Amt erhält ein problematisches Übergewicht, es verselbständigt sich gegenüber seinem ursprünglichen Auftrag. Die Heiligkeit der Kirche wird zur menschlichen Aufgabe, das Amt wird wesentlich moralisch, juristisch, gar politisch verstanden. Die Kehrseite dieser „Veränderung des Glaubens selbst"[27] ist die von asketischen Elitechristen vollzogene Privatisierung des geistlichen Lebens. Schließlich soll auch der gesamte Klerus dem Ideal solchen Elitechristentums gerecht werden, was unmöglich ist.

Sind Interpretationsmuster und Erzähllinie von „Amt und Vollmacht" Variationen zu dem schon in der „Idee des Martyriums" Erprobten, so wirkt die Darstellung im Ganzen doch viel entspannter,

---

[26] Ebd., 325.
[27] Ebd., 329.

weniger konstruiert und weniger abstrakt. Die Fülle der Einzelbeob-
achtungen wird mit großer Kunst in die Gesamterzählung integriert.
Dabei wirken selbst sehr griffige, potentiell anachronistische Typi-
sierungen plausibel, so etwa wenn Campenhausen die Amtsbegriffe
des Clemens von Rom, der Ignatiusbriefe sowie der Pastoralbriefe
den Konfessionen römisch-katholisch, griechisch-orthodox und lu-
therisch zuzuordnen versucht[28]. Ein besonderer Reiz von „Amt und
Vollmacht" aber liegt in der Behandlung einzelner Persönlichkeiten
wie des Apostels Paulus oder auch eines altkirchlichen Theologen
wie des Origenes: Hier zeigt sich zum einen, daß Campenhausen mit
der Geschichtsschreibung des 19. Jahrhunderts die Überzeugung teil-
te, daß bedeutende Persönlichkeiten geschichtsprägend sind. Zum
anderen wird hier Campenhausens außerordentliche Begabung und
Neigung zum analytisch einfühlsamen geistigen Porträt sichtbar.
Diese Begabung wurde gewiß immer wieder angeregt durch eine
seinerzeit in Heidelberg besonders gepflegte Kultur intellektuell
hochstehender Geselligkeit, an der Campenhausen bewußt teilnahm
und deren Niedergang er im Rückblick bedauerte. Schon der erste
Satz des dem Apostel Paulus gewidmeten dritten Kapitels von „Amt
und Vollmacht" wirkt wie eine kalkulierte Provokation gegenüber
einem historischen Positivismus, der vor Methodenfragen und der
Betonung der Fremdheit oder gar Entrücktheit seines Gegenstandes
das Verstehen des Vergangenen gar nicht erst riskieren will: „Gerade
über die uns wesentlichen Fragen wissen wir beim Apostel Paulus
vorzüglich Bescheid."[29] Dieses – durchaus nicht naive – Zutrauen zu
den Quellen und zu dem Zugang, den sie uns zu einer vergangenen
geschichtlichen Persönlichkeit verschaffen können, spricht sich einige Seiten später so aus: „Es gibt in der Weltliteratur keine persönli-
cheren Dokumente als Paulus Briefe an seine Gemeinden. Sie spie-
geln bei mancherlei Anlässen das Auf und Ab der Stimmung und das
Ringen um den wesentlichen Sinn des Lebens und die bewährte, be-
drohte oder wieder gewonnene Gemeinschaft ‚in dem Herrn'."[30] Im

---

[28] Ebd., 130–131.
[29] Ebd., 32.
[30] Ebd., 48.

folgenden beschreibt Campenhausen dann, wie Paulus einerseits als Apostel die höchste Autorität für seine Gemeinden darstellt, auf der anderen Seite aber immer wieder diese Autorität in paradoxer Weise selbst unterläuft, um so der charismatischen Freiheit der durch Christus befreiten Gotteskinder, seiner Brüder und Schwestern, zu entsprechen. Daß sich Paulus dabei über die Praxis in den Gemeinden theologisch nicht einfach hinwegsetzen konnte, bleibt bei Campenhausen im Blick und wird von ihm nicht ohne dezent-aristokratische Mißbilligung so kommentiert: „ ... kleinliche Zänkereien und Eifersüchteleien hat es in den christlichen Gemeinden bei ihrer kleinbürgerlichen Zusammensetzung von jeher gegeben."[31] Die Zeichnung der Amtsidee des Origenes, die gleichzeitig auch ein Porträt des Origenes zeichnet, fällt bei aller zum Teil scharfen Kritik sehr nuanciert aus. Origenes ist für Campenhausen „der erste Bußprediger des geistlichen Standes"[32]. Sein Kleriker soll dem Idealbild des vollkommenen Gnostikers, wie es Clemens von Alexandrien entwickelt hatte, gerecht werden[33], er muß asketisches Vorbild der Gemeinde, ihr Lehrer und Erzieher beim moralischen Fortschritt sein[34]. Anhand dieser vergeistigten Auffassung von Amt und Vollmacht kann Origenes, so konstatiert Campenhausen, eine „pietistische" Kritik[35] an der tatsächlichen Amtsführung mancher Kleriker und Bischöfe formulieren, die aber letztlich harmlos und wirkungslos bleibt. Zwar konzediert Campenhausen, daß bei Origenes mit seinem pietistisch-seelsorgerlichen Amtsverständnis die Idee eines allgemeinen Priestertums und der individuellen Freiheit der Laien vorhanden ist[36]. Dennoch fehlt bei Origenes der Sinn „für die Eigenart des Amtlichen innerhalb der Kirche", denn er verliert die spezifische, sich aus dessen Auftrag ergebende Vollmacht und Verheißung des geistlichen Amtes aus dem Blick[37]. Letztlich, so meint Campenhausen – und hier schließt die

---

[31] Ebd., 63.
[32] Ebd., 273.
[33] Ebd., 276–277.
[34] Ebd., 288–289.
[35] Ebd., 279. 291.
[36] Ebd., 283.
[37] Ebd., 288.

kritische Rezension der Kirchenidee des Origenes –, ist die „pietistische" Auffassung des Amtes kompatibel mit einer Sakralisierung des klerikalen Amtes (also einem katholischen Amtsbegriff), auch wenn diese Entwicklung bei Origenes allenfalls erst vorbereitet wird[38].

Die dritte und letzte Monographie, in der Campenhausen eine identitätsstiftende Norm des antiken Christentums behandelt, ist sein Buch über „Die Entstehung der christlichen Bibel"[39]. Der chronologische Rahmen ist der gleiche wie in „Amt und Vollmacht", das Buch schließt mit Origenes. Wiederum handelt es sich um kritisch rekonstruierende Ideengeschichte. Auch diese Studie war offenbar seit längerem vorbereitet, auch hier gibt es kürzere Vorarbeiten[40]. Und wie die beiden vorausgegangenen Monographien setzt auch diese bei Jesus Christus selber ein und sieht den normativen Ursprung des Christentums im Zeugnis von Jesus Christus. Campenhausen betont, daß die christliche Bibel in ihren beiden Teilen, dem Alten Testament und dem Neuen Testament, ursprünglich zuerst und vor allem Zeugnis von Jesus Christus ist, die alttestamentlichen Schriften mit ihren prophetischen Christusweissagungen, die neutestamentlichen Schriften als das verschriftlichte apostolische Zeugnis. Folgerichtig beharrt von Campenhausen auch darauf, daß die von der Al-

---

[38] Ebd., 290–291.

[39] Tübingen 1968. Englische Übersetzung: H. FREIHERR VON CAMPENHAUSEN, The Formation of the Christian Bible, London 1972. – Jetzt als unveränderter Nachdruck: DERS., Die Entstehung der christlichen Bibel. Mit einem Nachwort von CH. MARKSCHIES, BHTh 39, Tübingen ³2003.

[40] Schon die (unveröffentlichte) Antrittsvorlesung des Marburger Privatdozenten am 10.11.1928 war dem Thema: „Urchristentum und Tradition bei Tertullian" gewidmet gewesen. Vgl. weiterhin: 1. Tradition und Geist im Urchristentum, StGen 4, 1951, 351–357 (= Tradition und Leben [wie Anm. 1], 1–16); 2. Die Entstehung des Neuen Testamentes, HdJb 7, Berlin/Göttingen/Heidelberg 1963, 1–12 (= Das Neue Testament als Kanon. Dokumentation und kritische Analyse zur gegenwärtigen Diskussion, hg. v. E. KÄSEMANN, Göttingen 1970, 109–123); 3. Das Alte Testament als Bibel der Kirche. Vom Ausgang des Urchristentums bis zur Entstehung des Neuen Testamentes, in: Aus der Frühzeit des Christentums (wie Anm. 1), 152–196; 4. Irenäus und das Neue Testament, ThLZ 90, 1965, 1–8; 5. Marcion et les origines du Canon néotestamentaires, RHPhR 46, 1966, 213–226; vgl. auch: 6. Die Entstehung der Heilsgeschichte, Saec. 21, 1970, 189–212 (= Urchristliches und Altkirchliches [wie Anm. 1], 20–62; auch eine Intervention in die u. a. von R. Bultmann und G. von Rad geführte Diskussion um den Begriff der „Heilsgeschichte").

ten Kirche vertretene Apostolizität der kanonischen Schriften des Neuen Testaments nicht auf die apostolische Verfasserschaft einge-engt werden darf. Vielmehr geht es um den weiteren Begriff des apo-stolischen Zeugnisses: „ ... die maßgebenden Zeugnisse müssen der christusnahen Ursprungszeit der Apostel und Apostelschüler ent-stammen."[41] Für Campenhausen ist der Kanon auch nach der „wis-senschaftlichen Revolution" der historischen Kritik in der Neuzeit akzeptabel: Er entstand nicht aufgrund autoritativer kirchlicher Ent-scheidung, sondern hat sich selbst durchgesetzt[42]; das Neue Testa-ment beweist mit seiner Auswahl historischen Sinn: „Die regelmäßi-ge Verwendung eines Buches als gottesdienstliche Leseschrift war eine Voraussetzung seiner späteren Rezeption, schloß aber eine Überprüfung seiner „Echtheit" und Berechtigung in Zweifelsfällen nicht aus. Besonders beim Ausschluß aus dem Kanon spielten neben den sachlich-theologischen Bedenken auch historische und philologi-sche Erwägungen eine Rolle."[43] Im Kontext der Debatten um Kanon und Hermeneutik der fünfziger und sechziger Jahre war der Ton der Ausführungen Campenhausens auf eine gelassene Selbstgewißheit der historischen Exegese als theologisch legitim und erforderlich ge-stimmt. Wie in den beiden anderen Monographien, so ist die kritisch rekonstruierende Ideengeschichte auch hier ein ständiger impliziter und expliziter Dialog mit den Rekonstruktionen der alten Meister, wie zum Beispiel Adolf von Harnacks: Im (variierenden) Anschluß an ihn formuliert Campenhausen seine These, daß es der Häretiker Markion ist, der „Idee und Wirklichkeit einer christlichen Bibel" ge-schaffen habe: „ ... die Kirche, die sein Werk verwarf, ist ihm hierin nicht vorangegangen, sondern – formal gesehen – seinem Vorbild nachgefolgt."[44] Der eigentliche „Held" ist für Campenhausen Irenäus von Lyon. Sein inklusiver „katholischer" Kanonbegriff bezeichnet auch gegenüber dem markionitischen Kanon etwas Neues: Er verän-derte die Kanonidee Markions, indem er zum einen neben Paulus

---

[41] CAMPENHAUSEN, Entstehung der christlichen Bibel (wie Anm. 39), 381.
[42] Ebd., 384. 381–382.
[43] Ebd., 381–382.
[44] Ebd., 174.

auch die übrigen Apostel als Zeugen der Wahrheit akzeptiert und
zum anderen die Engführung auf eine apostolische Verfasserschaft
der kanonischen Schriften überwand[45]. So wird Irenäus – das ist die
implizite Botschaft – zum Kronzeugen einer Kanontheologie, die
mutatis mutandis auch für moderne evangelische Christen plausibel
ist: „Irenäus vertraut der Kirche und ihrer Überlieferung, die Markion gerade bekämpfen wollte; darum sind ihm die Apostel trotz ihrer
überragenden Größe und Heiligkeit unter kanongeschichtlichem Gesichtspunkt im Grund doch nichts anderes als die ersten berufenen
und bevollmächtigten Zeugen der Lehre Christi."[46] Zwar betont
Campenhausen, daß Irenäus kein kritischer Historiker oder Philologe
im modernen Sinn gewesen sei, aber dennoch bescheinigt er dem
Kanon des Irenäus eine „Weiträumigkeit", die „Markions Dogma-
tismus" überwindet: „Irenäus läßt die Urkunden so stehen, wie sie
sind."[47] Verglichen mit den vorangegangenen Monographien klingt
die Dekadenzthese in der „Entstehung" sehr viel verhaltener an: Tertullian wird noch recht positiv beurteilt, er erfaßt die christliche Bibel
„als ein Ganzes, dessen Teile in ihrer Eigenart zu begreifen, zu gliedern und zu bestimmen sind"[48]. Störend ist nur – wie schon in der
„Idee des Martyriums" aufgewiesen – der Rigorismus des nordafrikanischen Kirchenvaters, der es ihm schwermacht, die Suffizienz der
Schrift zu begründen und in ihr Antworten auf seine kasuistischen
Fragen zu gewinnen[49]. Hier zeigt sich für Campenhausen eine Gren-
ze des Christentums Tertullians, das die Unterscheidung von Gesetz
und Evangelium nicht kennt und darum auch die innere Einheit der
Schrift nicht erfassen kann[50]. Das Urteil über Origenes fällt – bei al-
ler Differenziertheit – noch härter aus: Zwar wird anerkannt, daß
Origenes ernsthafter wissenschaftlicher Exeget ist, der als erster die
Bibelkritik betreibt, um den vorgegebenen Kanon zu verteidigen,

---

[45] Ebd., 238.
[46] Ebd., 239.
[47] Ebd., 241.
[48] Ebd., 319.
[49] Ebd., 336.
[50] Ebd., 337.

nicht ihn zu bekämpfen. Aber gerade letzteres macht ihn schon wieder verdächtig: „Aber es bleibt doch bedenklich, daß es immer nur das kirchlich Gegebene und Bestehende ist, wofür er sich einsetzt. Dies Vorgehen ist für seine persönliche Art typisch und ist leider nicht ohne Nachfolge geblieben."[51] Campenhausen sieht – in explizitem Anschluß an Adolf von Harnack, mit dem er gerade auch im Origenesabschnitt in ständigem Dialog ist – in Origenes einen Biblizisten. Problematische Lehren wie die von der Verbalinspiration der Schrift und die damit zusammenhängende gefährliche und destruktive allegorische Methode, die die Geschichte bedeutungslos macht und das Eigengewicht der Bibel aufhebt, ergeben sich fast zwangsläufig aus diesem Biblizismus[52]. Damit wird die irenäische Kanonsidee ins „Dogmatisch-Lehrhafte" verwandelt, und das Christentum wird im „nahezu philonischen Sinne wieder zu einer Religion des Buches gemacht"[53]. Les extrèmes se touchent: Der Biblizismus des Origenes berührt sich mit dem „ganz andersartigen nomistischen Biblizismus Tertullians"[54]; hier wirkt die polemische Vergegenwärtigung Campenhausens forciert, Origenes und Tertullian werden zum Gegenbild theologisch verantworteter moderner historisch-kritischer Exegese.

Die Achse des wissenschaftlichen Œuvres von Campenhausens wird durch die drei großen Monographien und durch die sie begleitenden – vorbereitenden und nachträglichen – Aufsätze gebildet. Es sollte aber deutlich geworden sein, daß die Monographien mehr als bloß ein Ensemble höchst kompetenter Begriffs- und Ideengeschichten waren. Sie boten Campenhausen vielmehr einen Reflexionsraum, in dem er sich im Gespräch mit der kirchengeschichtlichen und neutestamentlichen Forschungstradition des 19. und 20. Jahrhunderts darüber klar werden konnte, worin eine mögliche kirchliche und theologische protestantische Identität in der Gegenwart bestehen könnte. So konnte er theologisch Wichtiges und Aktuelles in der

---

[51] Ebd., 371–372.
[52] Ebd., 354. 361–362. 374
[53] Ebd., 375.
[54] Ebd.

Form historischer Reflexion sagen. Der implizite Anspruch war durchaus, in diesen Büchern das Wesen des Christentums so formuliert zu haben, wie es ein hochgebildeter, aufgeklärter, der Volkskirche verpflichteter Historiker und Theologe in der Mitte des 20. Jahrhunderts verantworten kann[55]. Natürlich hatte er große Vorläufer (zum Beispiel Adolf von Harnack) und bemerkenswerte Zeitgenossen (zum Beispiel Ernst Käsemann, den Campenhausen bei allen Differenzen sehr schätzte), die ähnliches mit vergleichbarer Eloquenz, aber anderen Akzenten taten.

Aus den Hauptwerken ergaben sich gleichsam organisch weitere Bücher und Studien, auf die nun noch kurz einzugehen ist.

Zunächst sind hier die zwei Taschenbücher zu erwähnen, die wohl zu den populärsten Veröffentlichungen des Kirchenhistorikers Campenhausen gehören: Die Rede ist natürlich von seinen (vielfach nachgedruckten und in viele Sprachen übersetzten) Büchern „Griechische Kirchenväter" (Erste Auflage, Stuttgart 1955) und „Lateinische Kirchenväter" (Erste Auflage, Stuttgart 1960)[56], in denen er Porträts von zwölf griechischen und sieben lateinischen Theologen

---

[55]   Hier sei auch an die Arbeiten zur Bilderfrage erinnert, in denen sich auch Aussagen zum Wesen des Christentums finden, vgl. 1. H. FREIHERR VON CAMPENHAUSEN, Die Bilderfrage als theologisches Problem der Alten Kirche, in: Das Gottesbild im Abendland, Witten ²1959, 77–108 (= Tradition und Leben [wie Anm. 1], 216–252): Christentum als einzige Religion, die aufgrund der Inkarnation des Gottessohnes kein Problem mit dem unvermeidlichen Anthropomorphismus bei der bildlichen Darstellung Gottes hat; 2. DERS., Die Bilderfrage in der Reformation, ZKG 68, 1957, 69–128 (= Tradition und Leben [wie Anm. 1], 361–407): Vergleichende Profilierung der reformierten und der lutherischen Positionen zur Bilderfrage. Campenhausen, der sich mit einer methodisch ambitionierten Arbeit zu den römischen Passionssarkophagen 1928 bei Hans von Soden in Marburg habilitiert hatte (Die Passionssarkophage. Zur Geschichte eines altchristlichen Bilderkreises, Marburger Jahrbuch für Kunstwissenschaft 5, 1929, 1–47), hatte immer ein besonderes Interesse für christliche Kunst. – Schließlich sei hier als wichtiger Beitrag auch zum interkonfessionellen Gespräch nach der Dogmatisierung der Assumptio Mariae von 1950 die umfangreiche Heidelberger Akademieabhandlung: Die Jungfrauengeburt in der Theologie der alten Kirche, SHAW.PH 1962/3, Heidelberg 1962 (= Urchristliches und Altkirchliches [wie Anm. 1], 63–161, engl. Übersetzung: The Virgin Birth in the Theology of the Ancient Church, London 1964) erwähnt.

[56]   Ein „Gruppenporträt" der lateinischen Kirchenväter findet sich in: Die theologische Eigenart der lateinischen Kirchenväter, in: Römische Welt und lateinische Sprache heute, hg. v. H. GEHRIG, VKAEF 31, Karlsruhe 1977, 47–56.

der Alten Kirche entwirft. Hier entfaltet sich die schon notierte Begabung Campenhausens zum geistigen Porträt am eindrucksvollsten; in den besten Porträts hat der Leser nach der Lektüre den Eindruck einer wirklichen Begegnung über die Jahrhunderte hinweg. Nicht der geringste Teil des anhaltenden publizistischen Erfolges der beiden Bände beruht darauf, daß Campenhausen die auf diese Weise in biographischer Zuspitzung vorgestellten verschiedenen Spielarten antiker christlicher Theologie mit den Maßstäben und Kategorien beurteilt, die er in seinen anderen Arbeiten erprobt hatte. Campenhausen läßt es an griffig formulierten Urteilen nicht fehlen: Tertullian, den Campenhausen neben Augustin favorisiert, ist ihm zufolge „mehr ein Christ des Alten als des Neuen Testaments ... theologisch geurteilt, beinahe ein Jude", Origenes ein genialer Theoretiker ohne Verständnis für das Gewicht und die Konflikte der Wirklichkeit. („Solche Leute haben es nicht schwer, Schüler und Nachfolger zu gewinnen"), Eusebius von Cäsarea wird als „rationalistische(r) Kulturphilosoph und Apostel der neuen, christlichen Weltordnung" charakterisiert, Athanasius im Kontrast dazu als derjenige, der die Kirche aus dem Kulturchristentum eines Eusebius und den Verstrickungen der politischen Gewalt befreit hat (hier wird das antike Christentum für die innerprotestantischen Debatten vor allem der 20er und 30er Jahre durchsichtig). Doch ist alles Schematische durchaus vermieden, die kirchengeschichtliche Perspektive integriert immer wieder auch kulturgeschichtliche Beobachtungen[57]. So schreibt Campenhausen zur ep. 14 des Basilius von Cäsarea: „Die Beschreibung seiner Einsiedelei ... ist die erste in der Tiefe empfundene Schilderung einer Landschaft, die die abendländische Welt kennt – ein antikes Idyll, das doch etwas Ahnungsvolles und Unbegreifliches in sich aufgenom-

---

[57] Sein anhaltendes Interesse an der Kulturgeschichte im weiteren Sinne ließ Campenhausen offenbar auch eine Geschichte des christlichen Humors planen, vgl. DERS., Die Heiterkeit der Christen, in: Tradition und Leben (wie Anm. 1), 431–440; DERS., Ein Witz des Apostels Paulus und die Anfänge des christlichen Humors, in: Aus der Frühzeit des Christentums (wie Anm. 1), 102–108; sowie Christentum und Humor, in: ebd., 308–330. Und natürlich darf hier seine sehr populäre Veröffentlichung zum Thema nicht unerwähnt bleiben: DERS., Theologenspieß und -spaß. Christliche und unchristliche Scherze, KVR 1536, Göttingen 1973 ([7]1988).

men hat, das die überlieferten Formen geheimnisvoll überströmt."
Campenhausen befindet sich bei seinen Kirchenväterporträts auch im
Gespräch mit der gelehrten Deutungstradition; im Falle des Athanasius zum Beispiel zitiert und glossiert er nicht nur Adolf von Harnack, sondern versucht implizit auch die genial-einseitige kirchenpo-
litische Interpretation von Eduard Schwartz zu korrigieren und zu
nuancieren. Hieronymus erscheint zwar als „erfolgreicher Gelehrter",
„der Begründer der abendländischen Bibelphilologie", „beinahe ein
Humanist", aber ihm fehlte zu wirklicher Größe „überall die ent-
scheidende Voraussetzung: der Charakter". Die besondere Liebe
Campenhausens gilt – neben Tertullian – Augustin: Er ist derjenige,
der den Glauben als ganzheitlichen, existentiellen Akt entdeckt hat,
er ist „der einzige Kirchenvater, der bis auf diesen Tag eine geistige
Macht geblieben ist", „ein Genie" und damit „der einzige Kirchenvater, der auf diesen prätentiösen Titel moderner Persönlichkeitswer-
tung ungescheut Anspruch erheben kann"[58].

Campenhausen hatte neben seinen Monographien über kirchliches Amt und Kirchenverfassung und die christliche Bibel noch eine
Studie zum Bekenntnis projektiert. Die fortschreitende Erblindung
hinderte ihn an der Ausführung dieses Plans, doch lassen einige vor-
bereitende Studien den Umriß erahnen: In seinem monographischen
Aufsatz über „Das Bekenntnis im Urchristentum"[59] schildert er das
Christentum als eine wesentlich bekennende Religion und skizziert
die Entwicklung vom Bekenntnis vor der nichtchristlichen Welt zu
Jesus als Christus und Gottessohn über das innerchristliche antihäre-
tische Bekenntnis zum (trinitarischen) Lehrbekenntnis, der regula fi-
dei. Der Akzent auf der – nicht nur im historischen Sinne – ursprünglichen Bezeugung Jesu als „des einen göttlichen Gegenübers, dessen
Bejahung den einzelnen Christen zum Christen macht"[60], ist der sich

---

[58] Zu Augustin vgl. auch die Heidelberger Rektoratsrede: H. FREIHERR VON CAMPENHAUSEN,
      Augustin und der Fall von Rom, in: Weltgeschichte und Gottesgericht (wie Anm. 7), 2–18
      (= Tradition und Leben [wie Anm. 1], 253–271) sowie DERS., Augustin als Kind und
      Überwinder seiner Zeit, WG 53, 1953, 1–11 (= Urchristliches und Altkirchliches [wie
      Anm. 1], 334–352).
[59] In: Urchristliches und Altkirchliches (wie Anm. 1), 217–272.
[60] Ebd., 219.

gegenüber den vorangegangenen Monographien durchhaltende Akzent. Campenhausen wollte mit dieser Arbeit die Fehler einer allzu schematisch vorgehenden formgeschichtlichen Methode korrigieren, die bei allen erzielten Fortschritten zu unbekümmert frühchristliche Glaubensformeln sowie deren „Sitz im Leben" (Taufe) auffand und rekonstruierte[61]. Sehr eindrücklich und in der folgenden Forschung auch sehr wirksam war in diesem Zusammenhang sein Aufsatz „Das Bekenntnis Eusebs von Caesarea (Nicaea 325)", der an einem konkreten und prominenten Beispiel Zweifel an der Ubiquität von im Wortlaut festliegenden Taufbekenntnissen in vorkonstantinischer Zeit weckte[62].

Eine der aufsehenerregendsten Veröffentlichungen Campenhausens war seinerzeit die „Walter Bauer und Hermann Strathmann zum 8. und 30. August 1952" gewidmete Heidelberger Akademieabhandlung „Der Ablauf der Osterereignisse und das leere Grab"[63]. Gegen den diesbezüglichen Skeptizismus bei Rudolf Bultmann[64] und seinen Schülern hatte Campenhausen in seinen Monographien stets – mit allen Kautelen – den Ausgang beim historischen Jesus genommen. „Der Ablauf der Osterereignisse" war mit ihrer Verteidigung der Historizität des leeren Grabes eine gezielte Provokation gegenüber dem herrschenden Konsens. Campenhausen verteidigte in dieser Studie das Recht der historischen Forschung als theologischer Disziplin gegenüber einer unglaubwürdigen Apologetik auf der einen Seite und

---

[61] Vgl. auch: H. FREIHERR VON CAMPENHAUSEN, Taufen auf den Namen Jesu, VigChr 25, 1971, 1–16 (= Urchristliches und Altkirchliches [wie Anm. 1], 197–216); DERS., Der Herrentitel Jesu und das urchristliche Bekenntnis, ZNW 66, 1975, 127–129 (= Urchristliches und Altkirchliches [wie Anm. 1], 273–277).

[62] ZNW 67, 1976, 123–130 (= Urchristliches und Altkirchliches [wie Anm. 1], 278–299). Übrigens hatte schon A. von Harnack gegen F.J.A. Hort und F. Loofs bestritten, daß Eusebius von Cäsarea in Urkunde 22 (OPITZ) das Taufbekenntnis von Cäsarea zitiert, vgl. A. VON HARNACK, Apostolisches Symbolum, in: RE³, Bd. 1, Leipzig 1896, 748,13–39; vgl. DERS., Art. Konstantinopolitanisches Symbol, in: RE³, Bd. 11, Leipzig 1902, 15–16 sowie DERS., Lehrbuch der Dogmengeschichte, Bd. 2 Die Entwicklung des kirchlichen Dogmas I, Darmstadt 1964 (= Tübingen ⁴1909), 229–230.

[63] SHAW.PH 1952/4, Heidelberg 1952; 2. (modifizierte) Auflage 1958 (= Tradition und Leben [wie Anm. 1], 48–113).

[64] Der für Campenhausen im übrigen neben Martin Dibelius der wichtigste NT Lehrer war.

einem unhistorischen und aus seiner Sicht auch auf falscher Methode
beruhenden Skeptizismus andererseits: „Das Bündnis, das ein ver-
meintlich besonders radikaler Glaube auf diese Weise mit dem historischen Skeptizismus schließt, dient in Wirklichkeit nur dazu, ihn der
eigentlichen Anfechtung durch die Geschichte und die geschichtliche
Vernunft überhaupt zu entziehen."[65] Nach Campenhausen ist die „alte, unausweichliche Frage des Historikers" nach dem wirklichen Geschehen, nach der Ostergeschichte hinter den Ostergeschichten nicht
illegitim[66]. Schon die Evangelisten und Paulus sind auf ihre Weise
auf eben diese Frage eingegangen[67]. Campenhausen war sich natürlich bewußt, daß das historische Ereignis im Neuen Testament niemals in reiner Faktizität geschildert wird, daß es immer schon theologisch gedeutet ist. Doch, so machte er geltend, die Geschichte
(= historische Faktizität) ist darum nicht gleichgültig, sie gehört mit
in das Zeugnis hinein, und „dieses würde ohne sie seinen Sinn verlie-
ren"[68]. Letztlich geht es Campenhausen hier auch um die Grundlage
der eigenen wissenschaftlichen Lebensarbeit, nämlich die Frage, inwieweit das Christentum im Laufe seiner Geschichte Jesus Christus
und die Botschaft, die sich in ihm verkörpert, authentisch bezeugt
hat. Wer die Frage nach dem historischen Jesus methodisch ausschal-
ten will, hat in der Perspektive Campenhausens einer theologisch
verantworteten historischen Forschung die Grundlage entzogen[69].

Das Werk von Campenhausens stellt sich im Rückblick als der
konzentrierte Versuch dar, sich in kirchengeschichtlicher Reflexion
der eigenen evangelischen Position zu versichern. Campenhausen
stand dabei bewußt und kritisch in der großen und für lange Zeit dominierenden Tradition evangelischer Kirchengeschichtsschreibung,
so wie sie sich im 19. und in der ersten Hälfte des 20. Jahrhunderts

---

[65]   Tradition und Leben (wie Anm. 1), 111–112.
[66]   Ebd., 48–49.
[67]   Ebd., 110.
[68]   Ebd.
[69]   Zur Frage der Faktizität der Auferstehung hat sich Campenhausen noch einmal zugespitzt
       in zwölf erläuterten Thesen geäußert, vgl. Tod und Auferstehung Jesu als „historische Fak-
       ten", in: Moderne Exegese und historische Wissenschaft, hg. v. J. M. HOLLENBACH SJ/H.
       STAUDINGER, Deutsches Institut für Bildung und Wissen, Trier 1972, 94–103.

herausgebildet hatte. Maßgebend war immer wieder der Bezug auf den Ursprung des Christentums, der mit dem historischen Jesus gegeben ist. In dem Maße, in dem dieser Bezug auf den Ursprung die nachfolgende Geschichte des Christentums sichten, analysieren und erzählen hilft, gewinnt er selbst an Plausibilität. Historische Arbeit erschöpft sich somit nicht in kritischer Philologie, es muß immer wieder der Versuch gemacht werden, ein geordnetes Ganzes, eine Erzählung zu entwerfen, und sei es auch in der andeutenden Skizze. Darin gleicht Campenhausen seinen großen konstruktiven Vorgängern; er geht von deren Meistererzählungen aus, folgt ihnen mit eigenen Akzenten, kommentiert und korrigiert sie. Sein Begriff von Geschichte und Geschichtlichkeit ist emphatischer, aber ein wirklicher Bruch ist nicht wahrzunehmen. Wie ihnen, so gelingt auch ihm in der kritischen historischen Erzählung die Durchsicht auf die eigene intensiv erlebte und reflektierte Zeit. Der Bezug auf den Ursprung in Jesus Christus (hier hält sich die herrnhutisch-liberal geprägte Frömmigkeit seiner Herkunft durch) und damit auf das Wesen des Christentums ist für ihn wie für sie nur dann von genügender Orientierungskraft, wenn er nicht nur vergangene Geschichte, sondern auch die Gegenwart interpretieren hilft: Das Wesen des Christentums kann elementar formuliert werden, die Erzählung von Geschichte ist immer auch Orientierung für die selbst erlebte Gegenwart. Nur so kann dann auch versucht werden, das gebildete (Fach)Publikum jenseits von Kirche und Theologie zu erreichen.

Die Rezeptionsgeschichte des wissenschaftlichen Werkes von Campenhausen ist nicht abgeschlossen. Die Aufgabe, die Campenhausen so klar und anspruchsvoll erfaßt hatte, nämlich elementar, eindrücklich und wissenschaftlich verantwortet sagen zu können, wie sich in der Geschichte des Christentums authentisches Zeugnis von Jesus Christus verwirklicht oder scheitert, hat nichts von ihrer Aktualität eingebüßt.

Man muß aber wohl sagen, daß heute die Selbstvergewisserung starker protestantischer Identität im Medium der historischen Reflexion schwerer als in der Mitte des 20. Jahrhunderts fällt: Die Perspektivität jeglicher Geschichtserzählung und die Vielfalt der möglichen Perspektiven dominieren und faszinieren die historische Selbstreflexion, unter dem Einfluß historischer Anthropologie wird das Fremde vergangener Kulturformationen und Mentalitäten stark betont. Vom Wesen des Christentums wird man heute nur im Plural reden können: Der einzige Versuch, dieses durch Rückbezug auf den historischen Jesus oder das historisch rekonstruierte Zeugnis der ersten Christen normativ zum Zuge zu bringen, setzt sich der Gefahr konfessionell verkürzender Rückprojektion aus. In verschiedenen Epochen der Christentumsgeschichte sind durch einzelne Christen oder Gruppen von Christen immer wieder Versuche gemacht worden, dieses Wesentliche (die Botschaft Jesu, den Willen Gottes, das neutestamentliche Zeugnis) zu erfassen und zu definieren. Manche dieser Versuche waren so eindrücklich, daß sie eigene Traditionen begründeten. Die komplexe, vitale Pluralität der gepredigten, gelebten und tradierten Definitionen des Christlichen verweist den Theologen auf einen ihnen vorausliegenden, sie transzendierenden Ursprung. Die historische Reflexion auf diese Pluralität und deren Voraussetzung aber bleibt für anspruchsvolle und zeitgemäße theologische Definitionen des Christlichen in unserer Zeit und Kultur weiterhin unerläßlich.

Bibliographie der Werke Hans Freiherr von Campenhausens[1]

erstellt von Ruth Slenczka, bearbeitet von Annedore Keyl und Andreas Heiser

1929

Ambrosius von Mailand als Kirchenpolitiker, AKG 12, Berlin/Leipzig 1929.

Die Passionssarkophage. Zur Geschichte eines altchristlichen Bildkreises, in: Marburger Jahrbuch für Kunstwissenschaft 5, Marburg 1929, 39–86.

Urchristentum und Tradition. Habilitationsantrittsvorlesung, gehalten in Marburg am 10.11.1928, in: ThBl 8, 1929, 193–200.

Hans von Schubert zum 70. Geburtstage, in: FuF 5, 1929, 402–403.

Rez. Wilhelm WEBER, Römische Kaisergeschichte und Kirchengeschichte, Stuttgart 1929, in: DLZ 50 (NF 6), 1929, 621–622.

Rez. Richard LAQUEUR, Eusebius als Historiker seiner Zeit, AKG 11, Berlin 1929, in: ThLZ 54, 1929, 514–547.

Rez. Joseph HUHN, Die Bedeutung des Wortes Sacramentum bei dem Kirchenvater Ambrosius, Fulda 1928, in: ZKG 48 (NF 11), 1929, 107–109.

Rez. Des Heiligen Papstes und Kirchenlehrers Leo des Großen sämtliche Sermonen, übersetzt v. Theodor STEEGER, München 1927, in: ZKG 48 (NF 11), 1929, 109.

Rez. Alfred SCHULTZE, Augustin und der Seelteil des germanischen Erbrechts. Studien zur Entstehungsgeschichte des Freiteilsrechts, ASAW.PH 38/4, Leipzig 1928, in: ZKG 48 (NF 11), 1929, 468–469.

1930

Die asketische Heimatlosigkeit im altkirchlichen und frühmittelalterlichen Mönchtum, SGV 149, Tübingen 1930.

Kirche und Staat I, Geschichtliche Darstellung, in: Sachwörterbuch der Deutschkunde. Unter Förderung durch die Deutsche Akademie hg.

---

[1] Die mit * gekennzeichneten Titel konnten nicht verifiziert werden.

v. Walther HOFFSTAETTER/Ulrich PETERS, Bd. 2 (K–Z), Leipzig
u. a. 1930, 630–633.

Rez. Burnett H. STREETER, The primitive church. Studies with special refe-
rence to the origins of the christian ministry, HewL 1928, London
1929, in: DLZ 51 (3. Ser. 1), 1930, 145–149.

Rez. Adolf VON HARNACK, Einführung in die alte Kirchengeschichte. Das
Schreiben der römischen Kirche an die korinthische aus der Zeit
Domitians (1. Clemensbrief), Leipzig 1929, in: DLZ 51 (3. Ser. 1),
1930, 433–435.

Rez. Friedrich LOOFS, Theophilus von Antiochia adversus Marcionem und
die anderen theologischen Quellen bei Irenäus, TU 46/2, Leipzig
1930, in: DLZ 51 (3. Ser. 1), 1930, 2257–2263.

Rez. Heinrich H. LESAAR, Der heilige Augustin, München 1930, in: DLZ
51 (3. Ser. 1), 1930, 2405.

Rez. Georg OSTROGORSKY, Studien zur Geschichte des byzantinischen Bil-
derstreites, Historische Untersuchungen 5, Breslau 1929, in: ThBl
9, 1930, 214–215.

Rez. Ferdinand KATTENBUSCH, Die Doppelschichtigkeit in Luthers Kir-
chenbegriff, Gotha 1928, in: ThBl 9, 1930, 244–245.

Rez. Gustav KAFKA/Hans EIBL, Der Ausklang der antiken Philosophie und
das Erwachen einer neuen Zeit. Mit einer antiken allegorischen
Darstellung der Epikureischen und Stoischen Philosophie, GPE,
Abt. 2 Die Philosophie des Abendlandes im Altertum, Bd. 9, München 1928, in: ThLZ 55, 1930, 140–141.

Rez. Emil BOCK/Robert GOEBEL, Die Katakomben. Bilder von den Mysterien des Urchristentums, Stuttgart 1930, in: ThLZ 55, 1930, 413–
414.

Rez. Hippolytus Werke, Bd. 4 Die Chronik, hergestellt v. Adolf BAUER, hg.
v. Rudolf HELM, nebst einem Beitrag v. Joseph MARKWART, GCS
36, Leipzig 1929, in: ThLZ 55, 1930, 609–611.

Rez. Neuere Literatur zur alten Kirchengeschichte, in: ThR 2, 1930, 308–
332.

Rez. Theodor ZWÖLFER, Sankt Peter, Apostelfürst und Himmelspförtner.
Seine Verehrung bei den Angelsachsen und Franken, Stuttgart
1929, in: ZKG 49 (NF 12), 1930, 461–462.

1931

Augustinus, in: Menschen, die Geschichte machten. 4000 Jahre Weltgeschichte in Zeit- und Lebensbildern, Bd. 1, hg. v. Peter R. ROHDEN/Georg OSTROGORSKY, Wien 1931, 220–223.

Papst Nikolaus I. und Photius, in: ebd., 295–298.

Art. Symmachos (1), in: PRE 1A, Bd. 7, Stuttgart 1931, 1140–1141.

Rez. Erich CASPAR, Geschichte des Papsttums von den Anfängen bis zur Höhe der Weltherrschaft, Bd. 1 Römische Kirche und Imperium Romanum, Tübingen 1930, in: DLZ 52 (3. Ser. 2), 1931, 840–847.

Rez. Karl MÜLLER, Aus der akademischen Arbeit. Vorträge und Aufsätze, Tübingen 1930, in: DLZ 52 (3. Ser. 2), 1931, 1249–1252.

Rez. Hans JONAS, Augustin und das paulinische Freiheitsproblem. Ein philosophischer Beitrag zur Genesis der christlich-abendländischen Freiheitsidee, FRLANT 44 (NF 27), Göttingen 1930, in: DLZ 52 (3. Ser. 2), 1931, 2214–2217.

Rez. Palladii Dialogus de vita S. Ioannis Chrysostomi, ed. by Paul R. COLEMAN-NORTON, Cambridge 1928, in: Gn. 7, 1931, 666–669.

Rez. Erich CASPAR, Primatus Petri. Eine philologisch-historische Untersuchung über die Ursprünge der Primatslehre, Weimar 1927 (= Cathedra Petri. Neue Untersuchungen über die Anfänge der Primatslehre, hg. v. Hugo KOCH), in: HZ 143, 1931, 104–107.

Rez. Walter ELLIGER, Die Stellung der alten Christen zu den Bildern in den ersten vier Jahrhunderten nach Angabe der zeitgenössischen Schriftsteller, Leipzig 1930, in: ThLZ 56, 1931, 468–469.

Rez. Acta conciliorum oecumenicorum (ACO), Tom. 1/Vol. 1, hg. v. Eduard SCHWARTZ, Berlin/Leipzig 1927–1930, in: ZKG 50 (3. Folge 1), 1931, 234–236.

1932

Art. Synesios (1), in: PRE 1A, Bd. 8, Stuttgart 1932, 1362–1365.

Rez. Wilhelm THIMME, Augustins Selbstbildnis in den Konfessionen. Eine religionspsychologische Studie, ZRPs.B 2, Gütersloh 1929, in: DLZ 53 (3. Ser. 3), 1932, 1057–1059.

Rez. Dom Eugène A. ROULIN, Linges, Insignes et Vêtements liturgiques. Ouvrage orné de 343 gravures dans le texte et huit hors-texte, Paris 1930, in: ThLZ 57, 1932, 96.

Rez. Rudolf KÖMSTEDT, Vormittelalterliche Malerei. Die künstlerischen Probleme der Monumental- und Buchmalerei in der frühchristlichen und frühbyzantinischen Epoche, Augsburg 1929, in: ThLZ 57, 1932, 380–384.

Rez. Elisabeth PFEIL, Die fränkische und deutsche Romidee des frühen Mittelalters, FMANG 3, München 1929. – Karl HELDMANN, Das Kaisertum Karls des Großen, QVGDR 6/2, Weimar 1928. – Percy E. SCHRAMM, Kaiser, Rom und Renovatio. Studien und Texte zur Geschichte des römischen Erneuerungsgedankens vom Ende des Karolingischen Reiches bis zum Investiturstreit, Leipzig 1929, in: ThLZ 57, 1932, 517–522.

Rez. Hans ACHELIS, Römische Katakombenbilder in Catania, Studien zur spätantiken Kunstgeschichte 5, Berlin 1932, in: ThLZ 57, 1932, 602–603.

Rez. ACO, Tom. 1/Vol. 1, 3, 5, hg. v. Eduard SCHWARTZ, Berlin/Leipzig 1923–1926, in: ZKG 51 (3. Folge 2), 1932, 320–322.

Rez. ACO, Tom. 1/Vol. 2/1; 4, hg. v. Eduard SCHWARTZ, Berlin/Leipzig 1932, in: ZKG 51 (3. Folge 2), 1932, 563–566.

1933

Rez. André PIGANIOL, L'Empereur Constantin, Paris 1932. – Norman H. BAYNES, Constantine the Great and the Christian Church, PBA 1929, London 1930, in: DLZ 54 (3. Ser. 4), 1933, 1209–1212.

Rez. Von der Antike zum Christentum. Untersuchungen als Festgabe für Victor Schultze. Zum 80. Geburtstag am 13. Dezember 1931, dargebracht von Greifswalder Kollegen, Stettin 1931, in: Gn. 9, 1933, 555–556.

Rez. Karl PIEPER, Atlas orbis christiani antiqui, Düsseldorf 1931, in: HZ 147, 1933, 638–639.

Rez. Hanns RÜCKERT, Die Christianisierung der Germanen. Ein Beitrag zu ihrem Verständnis und ihrer Beurteilung, SGV 160, Tübingen 1932, in: ThLZ 58, 1933, 103–104.

Rez. Otto MICHEL, Prophet und Märtyrer, BFChTh 37/2, Gütersloh 1932, in: ThLZ 58, 1933, 275–276.

Rez. Hubert SCHRADE, Ikonographie der christlichen Kunst, Bd. 1 Die Auferstehung Christi, Berlin 1932, in: ThLZ 58, 1933, 387–391.

Rez. Paul Willem FINSTERWALDER, Die Canones Theodori Cantuariensis und ihre Überlieferungsformen, Untersuchungen zu den Bussbüchern des 7., 8. und 9. Jahrhunderts, Bd. 1, Weimar 1929, in: ThLZ 58, 1933, 398–399.

Rez. Baedae opera historica. Ecclesiastical history of the English nation, with an English translation by John E. KING, LCL 246. 248, London 1930, in: ThLZ 58, 1933, 399.

Rez. Otto MICHAELIS, Protestantisches Märtyrerbuch. Bilder und Urkunden der evangelischen Märtyrergeschichte aus vier Jahrhunderten, 3. erweiterte Auflage, Stuttgart 1932, in: ThLZ 58, 1933, 407.

Rez. Giuseppe WILPERT, I sarcofagi cristiani antichi, 4 Bde., Monumenta di antichità cristiana 1/1–2/2, Rom 1929–1932, in: ThLZ 58, 1933, 428–432.

Rez. Wilhelm NEUSS, Die Apokalypse des hl. Johannes in der altspanischen und altchristlichen Bibelillustration, Bd. 1 Text, Bd. 2 Tafeln, Münster 1931, in: ThLZ 58, 1933, 474–477.

1934

Zur Auslegung von Joh. 13,6–10, in: ZNW 33, 1934, 259–271.

*Advent, in: Christlicher Verein Junger Männer, Göttingen, 37. Jg., Nr. 12.

Rez. Erich CASPAR, Geschichte des Papsttums von den Anfängen bis zur Höhe der Weltherrschaft, Bd. 2 Das Papsttum unter byzantinischer Herrschaft, Tübingen 1933, in: DLZ 55 (3. Ser. 5), 1934, 1234–1239.

Rez. Max VOGELSTEIN, Kaiseridee – Romidee und das Verhältnis von Staat und Kirche seit Constantin, Historische Untersuchungen 7, Breslau 1930, in: GGA 196. Jg., Nr. 5, 1934, 202–209.

Rez. Jean-Rémy PALANQUE, Saint Ambroise et l'empire Romain. Contribution à l'histoire des rapports de l'Église et de l'État à la fin du quatrième siècle, Paris 1933, in: HZ 151, 1934, 100–102.

Rez. Erich ALTENDORF, Einheit und Heiligkeit der Kirche. Untersuchungen zur Entwicklung des altchristlichen Kirchenbegriffs im Abendland von Tertullian bis zu den antidonatistischen Schriften Augustins, AKG 20, Leipzig 1932, in: ThBl 13, 1934, 21–22.

Rez. Reallexikon zur deutschen Kunstgeschichte (RDK), hg. v. Otto SCHMITT, 1. Lfg., Stuttgart 1933, in: ThLZ 59, 1934, 61–62.

Rez. Neue Literatur zur alten Kirchengeschichte, in: ThR 6, 1934, 1–32.

1935

Rez. P. Joseph MATTERN, À travers les villes mortes de Haute-Syrie. Promenades archéologiques en 1928, 1929, 1931, MUSJ 17/1, Beyrouth 1933, in: OLZ 3, 1935, 165–166.

Rez. Victor SCHULTZE, Grundriß der christlichen Archäologie, 2., neubear-
beitete Auflage, Gütersloh 1934, in: ThLZ 60, 1935, 64.

Rez. RDK, hg. v. Otto SCHMITT, 2.–4. Lfg., Stuttgart 1933–1934, in: ThLZ
60, 1935, 112.

Rez. Hans VON SCHUBERT, Große christliche Persönlichkeiten. Eine historische Skizzenreihe, Leipzig [3]1933, in: ThLZ 60, 1935, 142.

Rez. ACO, Tom. 2/Vol. 2/1–3, hg. v. Eduard SCHWARTZ, Berlin/Leipzig
1933–1935, in: ZKG 54 (3. Folge 5), 1935, 631–633.

1936

Die Idee des Martyriums in der alten Kirche, Göttingen 1936.

Rez. Hugo KOCH, Gelasius im kirchenpolitischen Dienst seiner Vorgänger,
der Päpste Simplicius (468–483) und Felix III. (483–492),
SBAW.HA 1935/6, München 1935, in: HZ 154, 1936, 388–389.

Rez. Gerda KRÜGER, Die Rechtsstellung der vorkonstantinischen Kirchen,
KRA 115/116, Stuttgart 1935, in: ThLZ 61, 1936, 329–333.

Rez. Passio sanctarum Perpetuae et Felicitatis. Textum Graecum et Latinum
ad fidem codicum mss. accedunt acta brevia SS. Perpetuae et Felicitatis, Vol. 1, ed. Cornelius J.M.J. VAN BEEK, Nymwegen 1936,
in: ThLZ 61, 1936, 455–456.

1937

Die Schlüsselgewalt der Kirche, in: EvTh 4, 1937, 143–169.

Das Martyrium in der Mission, in: WuT 13, 1937, 161–178.

Art. Perpetua (1), in: PRE, Bd. 19/1, Stuttgart 1937, 901–902.

Rez. Friedrich GERKE, Der Sarkophag des Junius Bassus, Bilderhefte antiker Kunst 4, Berlin 1936, in: DLZ 58, 1937, 175–177.

Rez. Frederick Homes DUDDEN, The life and times of St. Ambrose, Vol. 1–
2, London 1935, in: HZ 155, 1937, 338–339.

Rez. „Zu Hallers Papsttum", in: ThBl 16, 1937, 221–228.

Rez. James MACKINNON, From Christ to Constantine. The rise and growth
of the early Church, London 1936, in: ThLZ 62, 1937, 48–49.

Rez. Saint Basil. The Letters. With an English translation by Roy J. DEFER-
RARI, Vol. 1–4, LCL, London 1926–1934, in: ThLZ 62, 1937, 52.

Rez. Das Römische Martyrologium. Das Heiligengedenkbuch der katholischen Kirche, neu übersetzt von Mönchen der Erzabtei Beuron,
Regensburg 1935, in: ThLZ 62, 1937, 52.

Rez. Eduard SCHWARTZ, Zwei Predigten Hippolyts, SBAW.PH 1936/3, München 1936, in: ThLZ 62, 1937, 163–164.

Rez. RDK, hg. v. Otto SCHMITT, 5.–9. Lfg., Stuttgart 1934–1936, in: ThLZ 62, 1937, 314–315.

Rez. Hanns LARMANN, Christliche Wirtschaftsethik in der spätrömischen Antike. Der Umbruch in der Wirtschaftsgesinnung zu Beginn der Neuzeit, FurSt 13, Berlin 1935, in: ZKG 56 (3. Folge 7), 1937, 449–451.

1938

Karl MÜLLER, Kirchengeschichte, 3. Auflage, neu überarbeitet in Gemeinschaft mit Hans FREIHERR VON CAMPENHAUSEN, Bd. 1/1, 1. Lfg., Tübingen 1938.

Friedrich der Weise, in: Deutsche Männer. 200 Bildnisse und Lebensbeschreibungen. Mit einer Einführung von Wilhelm SCHÜSSLER, Berlin 1938, 42.

Die Märtyrer in der alten Kirche, in: Auf der Warte 35, 1938, 770–775; 795–802.

Die Urkunden des Konzils von Chalkedon 451, in: ThBl 17, 1938, 162–166.

Rez. Geistige Grundlagen römischer Kirchenpolitik, FKGG 11, Stuttgart 1937, in: DA 2, 1938, 561–563.

Rez. Histoire de l'Église depuis les origines jusqu' à nos jours, publiée sous la direction de Augustin FLICHE/Victor MARTIN, Tom. 1 L'Église primitive, par Jules LEBRETON/Jacques ZEILLER, Tom. 2 De la fin du 2ᵉ siècle à la paix constantinienne, par Jules LEBRETON/Jacques ZEILLER, Tom. 3 De la paix constantinienne à la mort de Théodose, par Jean-Rémy PALANQUE/Gustave BARDY/Pierre de LABRIOLLE, Paris 1934–1936, in: HZ 157, 1938, 568–572.

Rez. Karl HEUSSI, Der Ursprung des Mönchtums, Tübingen 1936, in: OLZ 5, 1938, 302–305.

Rez. RDK, Bd. 1, unter Mitarbeit zahlreicher Fachleute aus Wissenschaft und Praxis hg. v. Otto SCHMITT, Bd. 1 (A–Baubetrieb), Stuttgart 1937, in: ThLZ 63, 1938, 135–136.

Rez. Karl BIHLMEYER, Kirchengeschichte. Auf Grund des Lehrbuches von Franz Xaver FUNK neubearbeitet, Bd. 1, 10., vielfach verbesserte Auflage, WH, Paderborn 1936, in: ThLZ 63, 1938, 340–341.

Rez. Felix RÜTTEN, Die Victorverehrung im christlichen Altertum. Eine kulturgeschichtliche und hagiographische Studie, SGKA 20/1, Paderborn 1936, in: ThLZ 63, 1938, 347–350.

Rez. Albert EHRHARD, Überlieferung und Bestand der hagiographischen und homiletischen Literatur der griechischen Kirche. Von den Anfängen bis zum Ende des 16. Jahrhunderts, Teil 1 Die Überlieferung, Bd. 1, TU 50, Leipzig 1937, in: ThLZ 63, 1938, 397–400.

1939

Luther, Die Hauptschriften. Mit 20 zeitgenössischen Dokumenten und Bildern, hg. v. Hans FREIHERR VON CAMPENHAUSEN, Berlin o. J. (1939).

Nachwort zu Luthers Hauptschriften, in: ThBl 18, 1939, 87–91.

Christentum und Heidentum in der alten Welt. Ein Literaturbericht, in: ThBl 18, 1939, 321–332.

Prästbegreppets uppkomst i den gamla kyrkan, in: SEÅ 4, 1939, 86–101.

Rez. Friedrich HEILER, Die katholische Kirche des Ostens und Westens, Bd. 1 Urkirche und Ostkirche, München 1937, in: KHÅ 39, 1939, 275–281.

Rez. S. Gaudentii episcopi Brixiensis tractatus. Ad fidem codicum rec. Ambrosius GLÜCK, CSEL 68, Wien/Leipzig 1936, in: ThLZ 64, 1939, 49–50.

Rez. Henricus VOGELS, Textus Antenicaeni ad primatum Romanum spectantes, FlorPatr 9, Bonn 1937, in: ThLZ 64, 1939, 87.

Rez. Luigi SALVATORELLI, Storia della letteratura latina cristiana, dalle origini alla metà del VI secolo, Milano 1936, in: ThLZ 64, 1939, 87.

Rez. Kaarlo JÄNTERE, Die römische Weltreichsidee und die Entstehung der weltlichen Macht des Papstes, Turun Yliopiston Julkaisuja (Ser. B) 21, Turku/Finnland 1936, in: ThLZ 64, 1939, 141.

Rez. Rudolf ALLERS, Anselm von Canterbury. Leben, Lehre, Werke, Wien 1936, in: ThLZ 64, 1939, 307–309.

1940

KARL MÜLLER, Kirchengeschichte, 3. Auflage, neu überarbeitet in Gemeinschaft mit Hans FREIHERR VON CAMPENHAUSEN, Bd. 1/1, 2. Lfg., Tübingen 1940.

Reformatorisches Selbstbewußtsein und reformatorisches Geschichtsbewußtsein bei Luther 1517–1522, in: ARG 37, 1940, 128–150.

Luthers Selbstzeugnis als Reformator (nach einem Vortrag zu Luthers Todestag am 18.2.1940), in: Evangelische Wahrheit 31, 1940, 66–74.

Luthers Stellung zur bildenden Kunst, in: KuKi 17, 1940, 2–5.

Rez. Histoire de l'Église depuis les origines jusqu' à nos jours, publiée sous
la direction de Augustin FLICHE/Victor MARTIN, Tom. 5 Grégoire
le Grand, les États barbares et la conquête arabe (590–557), par
Louis BRÉHIER/René AIGRAIN, Paris 1938, in: HZ 162, 1940, 371–
373.

Rez. Erwin MÜHLHAUPT, D. Martin Luthers Evangelienauslegung, Bd. 1
Die Weihnachts- und Vorgeschichte bei Matthäus und Lukas,
Bd. 2/1–10 Das Matthäus-Evangelium, Göttingen 1938/1940, in:
KHÅ 40, 1940, 289–293.

Rez. Joseph LORTZ, Die Reformation in Deutschland, Bd. 1–2, Freiburg
u. a. 1939/1940, in: KHÅ 40, 1940, 296–302.

Rez. Theodor HOPFNER, Patrologiae cursus completus accurante J. P. Mi-
gne, Series Graeca, Index locupletissimus, Tom. 1, Paris 1928, in:
OLZ 11, 1940, 428–429.

Rez. Albert EHRHARD, Überlieferung und Bestand der hagiographischen
und homiletischen Literatur der griechischen Kirche. Von den Anfängen bis zum Ende des 16. Jahrhunderts, Teil 1 Die Überlieferung, Bd. 2, TU 51, Leipzig 1938, in: ThLZ 69, 1940, 89–91.

1941

Hans SCHUSTER, Das Werden der Kirche. Eine Geschichte der Kirche auf
deutschem Boden. Mit Beiträgen von Hans FREIHERR VON CAM-
PENHAUSEN/Hermann DÖRRIES, Berlin 1941, 25–70 (Die alte Kirche); 172–178 (Die Kunst des Mittelalters); 200–201 (Die Kunst
des Spätmittelalters), 2., verbesserte Auflage, Berlin 1950.

Carl Müller. Nachruf, in: HZ 163, 1941, 445–447.

Frühmittelalterliches Mönchtum und Verwandtes, in: ThBl 20, 1941, 195–
201.

Recht und Gehorsam in der ältesten Kirche, in: ThBl 20, 1941, 279–295.

Rez. Kyrillos von Skythopolis, hg. v. Eduard SCHWARTZ, TU 49/2, Leipzig
1939, in: DLZ 62, 1941, 1–3.

Rez. Hans-Werner SURKAU, Martyrien in jüdischer und frühchristlicher
Zeit, FRLANT 54 (NF 36), Göttingen 1938, in: OLZ 4, 1941, 165–
168.

Rez. Johannes HALLER, Das Papsttum, Bd. 2/2, in: Papstgeschichte von den Anfängen bis zur französischen Revolution, hg. v. Franz Xaver SEPPELT/Klemens LÖFFLER, Sammlung Kösel 90/91, München u. a. 1924, in: ThBl 20, 1941, 16–20.

Rez. (Hinweis auf) Reallexikon für Antike und Christentum (RAC), Bd. 1, 1. Lfg., Stuttgart 1941, in: ThBl 20, 1941, 346–347.

Rez. Carl-Martin EDSMAN, Le baptême de feu, ASNU 9, Leipzig/Uppsala 1940, in: SEÅ 6, 1941, 114–120.

1942

Rez. Dag NORBERG, In Registrum Gregorii Magni studii critica. Commentatio academica, Vol. 1–2, UUÅ 1937/4 und 1939/7, Uppsala 1937/1939, in: ThLZ 67, 1942, 101–103.

Rez. RDK, hg. v. Otto SCHMIDT, 13.–19. Lfg., Bd. 2, 1–896 (Bauer–Blende), Stuttgart 1938–1941, in: ThLZ 67, 1942, 238–240.

1943

Rez. P. Giovanni ODOARDI, La dottrina della penitenza in S. Ambrogio, Rom 1941, in: ThLZ 68, 1943, 206–207.

Rez. Karl BIHLMEYER, Kirchengeschichte. Auf Grund des Lehrbuches von Franz Xaver VON FUNK neubearbeitet, Bd. 1 Das christliche Altertum, 11. Auflage, Bd. 2 Das Mittelalter, 10. Auflage, WH 1/16, Paderborn 1936/1940, in: ThLZ 68, 1943, 246–247.

1944

Rez. Per LUNDBERG, La Typologie baptismale dans l'ancienne Église, ASNU 10, Leipzig/Uppsala 1942, in: ThLZ 69, 1944, 163–164.

1946

Die Kirche im Altertum. Eine Literaturübersicht, in: VF 3, 1942–1946, 221–242.

1947

Weltgeschichte und Gottesgericht. Zwei akademische Vorträge über Augustin und Luther, Lebendige Wissenschaft 1, Stuttgart 1947: Augustin und der Fall von Rom, zuerst publ. in: Univ. 1, 1946 (verkürzt); Gottesgericht und Menschengerechtigkeit, zuerst publ. in:

Vom neuen Geist der Universität, hg. v. Karl H. BAUER, Schriften der Universität Heidelberg 2, Berlin/Heidelberg 1947, 64–75.

Der urchristliche Apostelbegriff, in: StTh 1, 1947, 96–130.

1948

Aus der Arbeit der Universität 1946/47, Schriften der Universität Heidelberg 3, Berlin/Heidelberg 1948.

Ambrosius und der Kaiser, in: Der Heimkehrer 2, Nr. 9, 1948, 5.

Das Augsburgische Bekenntnis über Politik und Staat. Conf. Aug.: de rebus civilibus (Art. XVI und XXVIII, 12–18). Vortrag auf einer amerikanisch-deutschen Theologentagung der Missouri-Synode in Bad Boll, in: FAB 2, 1948, 522–529.

Zum Verständnis von Joh. 19,11, in: ThLZ 73, 1948, 387–392.

Rez. Lexicon Athanasianum, digessit et illustravit Guido MÜLLER, 1. Lfg., Berlin 1944, in: ThLZ 73, 1948, 41–42.

Rez. Bernhard BLUMENKRANZ, Die Judenpredigt Augustins. Ein Beitrag zur Geschichte der jüdisch-christlichen Beziehungen in den ersten Jahrhunderten, Basel 1946, in: ThLZ 73, 1948, 537–539.

Rez. Neuere Augustin-Literatur I, in: ThR 17, 1948/1949, 51–72.

1949

Die Askese im Urchristentum, SGV 192, Tübingen 1949.

Christlicher Glaube im Untergang des alten Rom, in: FAB 3, 1949, 612–617; 635–643.

Kirche in der Katakombe, in: SBl 2, Nr. 17 vom 24.4.1949, 16.

Eine Antwort Jesu (Lk 13,1–5), in: SBl 2, Nr. 37 vom 11.9.1949, 1–2.

Glaube und Bildung im Neuen Testament, in: StGen 2, 1949, 182–194.

Art. Paulinus (8) [Paulinus von Mailand], in: PRE, Bd. 18/2, Stuttgart 1949, 2330–2331.

Rez. Johannes KLEVINGHAUS, Die theologische Stellung der Apostolischen Väter zur alttestamentlichen Offenbarung, BFThCh 44/1, Gütersloh 1948, in: ThLZ 74, 1949, 344–345.

Rez. Joseph FISCHER, Die Völkerwanderung im Urteil der zeitgenössischen kirchlichen Schriftsteller Galliens unter Einbeziehung des heiligen Augustinus, Heidelberg 1948, in: ThLZ 74, 1949, 543–544.

Rez. Arthur VÖÖBUS, Les Messalliens et les réformes de Barçauma de Nisibe dans l'église perse, Contributions of Baltic University 34, Pinneberg 1947, in: ThLZ 74, 1949, 545–546.

*Rez. Hans SOEDERBERG, La religion des Cathares. Étude sur le gnosticis-
me de la basse antiquité et du moyen âge, Uppsala 1949, in:
SNVAO 2, 1949, 13–16.

Rez. Ernesto BUONAIUTI, Geschichte des Christentums, Bd. 1 Altertum,
Bern 1948, in: Univ. 4, 1949, 959–960.

1950

Hans VON SODEN, Urkunden zur Entstehungsgeschichte des Donatismus,
2., neu durchgesehene Auflage von Hans VON CAMPENHAUSEN,
KlT 122, Berlin 1950.

Zur Auslegung von Röm 13: Die dämonistische Deutung des ΕΞΟΥΣΙΑ-
Begriffs, in: FS Alfred Bertholet zum 80. Geburtstag gewidmet
von Kollegen und Freunden, hg. durch Walter BAUMGARTNER/Otto
EISSFELDT/Karl ELLIGER/Leonhard ROST, Tübingen 1950, 97–113.

Urchristentum und Staat, in: Frank THIESS, Werk und Dichter. 32 Beiträge
zur Problematik unserer Zeit, hg. v. Rolf ITALIAANDER, Hamburg
1950, 130–143.

Wider Erwarten. Pfingsten, in: SBl 3, Nr. 22 vom 28.5.1950, 3.

Rez. Pierre FABRE, Saint Paulin de Nole et l'amitié chrétienne, BEFAR 167,
Paris 1949, in: Gn. 22, 1950, 408–409.

Rez. Maurice GOGUEL, La naissance du christianisme. L'Église primitive,
Jésus et les origines du christianisme, Vol. 2–3, Paris 1946/1947,
in: NSNU 3, 1950, 19–24.

Rez. Walter BAUER, Griechisch-deutsches Wörterbuch zu den Schriften des
Neuen Testaments und der übrigen urchristlichen Literatur, 4., völlig neu bearbeitete Auflage, 1.–3. Lfg., Berlin 1949/1950, in: ThLZ
75, 1950, 349–350.

Rez. Joseph VOGT, Constantin der Große und sein Jahrhundert, München
1949, in: ThLZ 75, 1950, 487–489.

1951

Polycarp von Smyrna und die Pastoralbriefe, SHAW.PH 1951/2, Heidelberg 1951.

Hans VON SODEN, Urchristentum und Geschichte. Gesammelte Aufsätze
und Vorträge, Bd. 1 Grundsätzliches und Neutestamentliches. Mit
einem Vorwort von Rudolf BULTMANN, hg. v. Hans VON CAMPEN-
HAUSEN, Tübingen 1951.

Lehrerreihen und Bischofsreihen im 2. Jahrhundert, in: In Memoriam Ernst Lohmeyer, hg. v. Werner SCHMAUCH, Stuttgart 1951, 240–249.

*Die Offenbarung des Johannes in der Geschichte, in: Du, Schweizerische Monatsschrift 5, 1951, 52–53.

Otto FROMMEL, in: Ruperto Carola, Mitteilungen der Vereinigung der Freunde der Studentenschaft der Universität Heidelberg e. V. 5, 1951, 22–23.

Wer ist es? (Anzeige von Berthold ALTANER, Patrologie. Leben, Schriften und Lehre der Kirchenväter, 2., erweiterte Auflage, Freiburg 1950), in: SBl 4, Nr. 2 vom 14.1.1951, 19.

Ernst Lohmeyer † (Nachruf auf Ernst Lohmeyer), in: SBl 4, Nr. 27 vom 28.7.1951, 19.

Vor 1500 Jahren: Jesus Christus – wahrer Mensch und wahrer Gott. Am 25. Oktober 451 wurde das Christusbekenntnis von Chalzedon verkündet, in: SBl 4, Nr. 43 vom 28.10.1951, 19.

Tradition und Geist im Urchristentum, in: StGen 4, 1951, 351–357.

Die Nachfolge des Jakobus. Zur Frage eines urchristlichen „Kalifats", in: ZKG 63 (4. Folge 1), 1950/1951, 133–174.

Die philosophische Kritik des Christentums bei Karl Jaspers, in: ZThK 48, 1951, 230–248.

Rez. Philosophenlexikon. Handwörterbuch der Philosophie nach Personen, Bd. 1–2, unter Mitwirkung von Gertrud JUNG verfaßt und hg. v. Werner ZIEGENFUSS, Berlin 1949/1950, in: FAB 5, 1951, Umschlagseite 3–4.

Rez. Lexicon Athanasianum, digessit et illustravit Guido MÜLLER, 2.–5. Lfg., Berlin 1949/1950, Sp. 161–800, in: ThLZ 76, 1951, 43.

Rez. Hendrik BERKHOF, Eine Untersuchung der Entstehung der byzantinischen und der theokratischen Staatsauffassung im vierten Jahrhundert. Aus dem Holländischen übersetzt von Gottfried W. LOCHER, Zürich 1947, in: ThLZ 76, 1951, 203–208.

Rez. Reallexikon für Antike und Christentum (RAC). Sachwörterbuch zur Auseinandersetzung des Christentums mit der antiken Welt. In Verbindung mit Franz Josef DÖLGER†/Hans LIETZMANN† und unter besonderer Mitwirkung v. Jan Hendrik WASZINK/Leopold WENGER hg. v. Theodor KLAUSER, 8. Lfg. (Babylon [Forsetzung]–Bauen), Stuttgart 1950, 1119–1278, in: ThLZ 76, 1951, 295–296.

Rez. RDK, hg. v. Otto SCHMIDT, 20.–25. Lfg., Bd. 2, 897–1640; Bd. 3, 1–128 (Blende–Burg), Stuttgart 1942–1950, in: ThLZ 76, 1951, 611–612.

Rez. Hans-Joachim SCHOEPS, Theologie und Geschichte des Judenchristentums, Tübingen 1949, in: Univ. 6, 1951, 208–211.

Rez. VigChr 3, Amsterdam 1949–4, Amsterdam 1950, in: ZKG 63 (4. Folge 1), 1950/1951, 198–199.

Rez. Bib. 31, Rom 1950, in: ZKG 63 (4. Folge 1), 1950/1951, 199.

Rez. ZNW 42, Berlin 1949, in: ZKG 63 (4. Folge 1), 1950/1951, 200.

Rez. Rudolf SCHNEIDER, Welt und Kirche bei Augustin. Ein Beitrag zur Frage des christlichen Existenzialismus, CGL 6, München 1949, in: ZKG 63 (4. Folge 1), 1950/1951, 344.

Rez. Friedrich GERKE, Der Trierer Agricius-Sarkophag. Ein Beitrag zur Geschichte der altchristlichen Kunst in den Rheinlanden, TrZ.B 18, Trier 1949, in: ZKG 63 (4. Folge 1), 1950/1951, 345–346.

1952

Der Ablauf der Osterereignisse und das leere Grab, SHAW.PH, 1952/4 (2., verbesserte und ergänzte Auflage 1958/2; 3., neu durchgesehene und ergänzte Auflage, Heidelberg 1966; Wiederabdruck in: Tradition und Leben. Kräfte der Kirchengeschichte, Tübingen 1960, 48–113).

Wörterbuch der Religionen. In Verbindung mit Hans FREIHERR VON CAMPENHAUSEN verfaßt von Alfred BERTHOLET, KTA 125, Stuttgart 1952 (4. Auflage, ergänzt und hg. v. Kurt GOLDAMMER, Stuttgart 1985).

Die Kirche und der Staat nach den Aussagen des Neuen Testaments, in: Die Autorität der Bibel heute. Ein vom Weltkirchenrat zusammengestelltes Symposium über „Die biblische Autorität für die soziale und politische Botschaft der Kirche heute", hg. v. Alan RICHARDSON/Wolfgang SCHWEITZER, Zürich/Frankfurt a. M. 1952, 337–355.

*Das „nicaenische" Glaubensbekenntnis, in: „Kirche und Gemeinde", Evangelisches Sonntagsblatt für Baden, 7. Jg., 1952, 12.

Hilfreiche Erinnerungen. Auslegung von Hebr. 10, 32–39 zum 22. Sonntag nach Trinitatis, in: SBl 5, Nr. 45 vom 9.11.1952, 3.

Die Bilderfrage als theologisches Problem der alten Kirche, in: ZThK 49, 1952, 33–60.

Rez. Ernst STAEHELIN, Die Verkündigung des Reiches Gottes in der Kirche Jesu Christi. Zeugnisse aus allen Jahrhunderten und allen Konfessionen, Bd. 1 Von der Zeit der Apostel bis zur Auflösung des Römischen Reiches, Basel 1951, in: ELKZ 6, 1952, 173.

Rez. Clavis patrum latinorum. Qua in novum Corpus Christianorum edendum optimas quasque scriptorum recensiones a Tertulliano ad Bedam, commode recludit Eligius DEKKERS. Opera usus qua rem praeparavit et iuvit Aemilius GAAR, SE 3, Steenbrugge 1951, in: ELKZ 6, 1952, 279.

Rez. Jörg ERB, Die Wolke von Zeugen. Lesebuch zu einem evangelischen Namenkalender. Zugleich eine Kirchengeschichte in Lebensbildern, Kassel 1951, in: FAB 6, 1952, hintere Umschlagseiten.

Rez. Walter BIENERT, Krieg, Kriegsdienst und Kriegsdienstverweigerung nach der Botschaft des Neuen Testaments, Schriftenreihe der Bekennenden Kirche, Stuttgart 1952, in: FAB, Beilage für Baden 6, 1952, 247.

Rez. D. Martin Luthers Evangelienauslegung, Bd. 4 Das Johannes-Evangelium mit Ausnahme der Passionstexte, hg. v. Eduard ELLWEIN; Bd. 3 Markus- und Lukasevangelium, hg. v. Erwin MÜHLHAUPT, in: KHÅ 52, 1952, 207–208.

Rez. Christian EGGENBERGER, Die Quellen der politischen Ethik des 1. Klemensbriefes, Zürich 1951, in: ThLZ 77, 1952, 38–39.

Rez. Adolf HAMEL, Kirche bei Hippolyt von Rom, BFChTh 49, Gütersloh 1951, in: ThLZ 77, 1952, 41–42.

Rez. Frederik VAN DER MEER, Augustinus der Seelsorger. Leben und Werk eines Kirchenvaters. Ins Deutsche übersetzt von Nicolaas GREITEMANN, Köln 1951; Berthold ALTANER, In der Studierstube des Heiligen Augustinus. Beiträge zur Kenntnis seines schriftstellerischen Schaffens, in: Amt und Sendung, Freiburg 1950, 378–431, in: ThLZ 77, 1952, 90–93.

Rez. Theodor KLAUSER, Der Ursprung der bischöflichen Insignien und Ehrenrechte. Rede, gehalten beim Antritt des Rektorats der Rheinischen Friedrich-Wilhelms-Universität zu Bonn am 11.12.1948, BAR 1, Krefeld 1949, in: ThLZ 77, 1952, 225–226.

Rez. Karl BIHLMEYER, Kirchengeschichte. Neu besorgt von Professor Dr. Hermann TÜCHLE, Bd. 1 Das christliche Altertum, 12., verbesserte und ergänzte Auflage, Paderborn 1951, in: ThLZ 77, 1952, 287.

Rez. Lexicon Athanasianum, digessit et illustravit Guido MÜLLER, 6.–10. (Schluß-)lieferung, Berlin 1951/1952, Sp. 161–800, in: ThLZ 77, 1952, 292.

Rez. Mélanges Jules Lebreton, Vol. 1, RSR 39/2–4, Paris 1951, in: ThLZ 77, 1952, 339–341.

1953

Kirchliches Amt und geistliche Vollmacht in den ersten drei Jahrhunderten, Tübingen 1953 (2., durchgesehene Auflage, Tübingen 1963; englische Ausgabe, London 1969. ²1997).

Der Kriegsdienst der Christen in der Kirche des Altertums, in: Offener Horizont, FS Karl Jaspers, hg. v. Klaus PIPER, München 1953, 255–264 (in Anm. leicht gekürzter Wiederabdruck, in: Univ. 12, 1957, 1147–1156).

Sollen wir das Vaterunser gemeinsam sprechen? Unser Beten darf kein gedankenloses Mitplappern werden, in: SBl 6, Nr. 32 vom 9.8.1953, 19.

Augustin als Kind und Überwinder seiner Zeit, in: WG 13, 1953, 1–11.

Rez. Heinrich ACKERMANN, Jesus. Seine Botschaft und deren Aufnahme im Abendland, in: Das historisch-politische Buch 1/6, 1953, 165.

Rez. Josef LUDWIG, Der heilige Märtyrerbischof Cyprian von Karthago. Ein kulturgeschichtliches und theologisches Zeitbild aus der afrikanischen Kirche des dritten Jahrhunderts, München, 1951, in: ELKZ 7, 1953, 29.

Rez. Josef LUDWIG, Die Primatworte Mt. 16,18.19 in der altkirchlichen Exegese, NTA 19/4, Münster 1952, in: ELKZ 7, 1953, 173.

Rez. William H. C. FREND, The Donatist Church. A movement of protest in Roman North Africa, Oxford 1952, in: Gn. 25, 1953, 194–195.

Rez. Henri GRÉGOIRE, Les persécutions dans l'Empire Romain, MAB.L Collection in 8°, Ser. 2, 46/1, Bruxelles 1951, in: Gn. 25, 1953, 464–467.

Rez. Das Konzil von Chalkedon, Geschichte und Gegenwart, hg. v. Alois GRILLMEIER/Heinrich BACHT. Im Auftrag der Theologischen Fakultät S. J. Sankt Georgen, Bd. 1 Der Glaube von Chalkedon, Würzburg 1951, in: ThLZ 78, 1953, 85–92.

Rez. Walter BAUER, Griechisch-deutsches Wörterbuch, 4., völlig neu bearbeitete Auflage, 4.–10. Lfg., Berlin 1952, in: ThLZ 78, 1953, 102–103.

Rez. Albert EHRHARD†, Überlieferung und Bestand der hagiographischen und homiletischen Literatur der griechischen Kirche. Von den Anfängen bis zum Ende des 16. Jahrhunderts, Teil 1 Die Überlieferung, Bd. 3, 2. Hälfte/1.–2. Lfg., TU 52,2/1–2, Berlin/Leipzig 1943/1952, 723–1034, in: ThLZ 78, 1953, 159–160.

Rez. RDK, begonnen v. Otto SCHMITT, hg. v. Ernst GALL/Ludwig H. HEYDENREICH, 26.–28. Lfg., Stuttgart/Waldsee 1951/1952, in: ThLZ 78, 1953, 302–303.

Rez. Mélanges Jules Lebreton, Vol. 2, RSR 40/1–2, Paris 1952, in: ThLZ 78, 1953, 591–592.

Rez. Karl HÖRMANN, Leben in Christus. Zusammenhänge zwischen Dogma und Sitte bei den Apostolischen Vätern, Wien 1952, in: ThLZ 78, 1953, 618.

Rez. Walther VÖLKER, Der wahre Gnostiker nach Clemens Alexandrinus, TU 57, Berlin 1952, in: ThZ 9, 1953, 67–72.

Rez. Werner Georg KÜMMEL, Verheißung und Erfüllung, 2., völlig neu bearbeitete Auflage, AThANT 6, Zürich 1953, in: Univ. 8, 1953, 1298–1299.

Rez. Bib. 32, 1951; 33/1–3, 1952, in: ZKG 64 (4. Folge 2), 1952/1953, 217–218.

Rez. VigChr 6/1–3, 1952, in: ZKG 64 (4. Folge 2), 1952/1953, 220–221.

Rez. ZNW 43/1–2, 1950/1951, in: ZKG 64 (4. Folge 2), 1952/1953, 221.

Rez. Markos A. SIOTIS, Die klassische und die christliche Cheirotonie in ihrem Verhältnis, Sonderdruck aus der Zeitschrift Θεολογία 20, 1949–22/2, 1951, Athen 1951, in: ZKG 64 (4. Folge 2), 1952/1953, 333–334.

1954

Ein Witz des Apostels Paulus und die Anfänge des christlichen Humors, in: Neutestamentliche Studien für Rudolf Bultmann. Zu seinem 70. Geburtstag am 20. August 1954, BZNW 21, Berlin 1954 (²1957), 189–193.

Griechische Kirchenväter und Verwandtes, in: ThR 22, 1954, 316–354.

Die ersten Konflikte zwischen Kirche und Staat und ihre bleibende Bedeutung, in: Univ. 9, 1954, 267–273.

Origenes, in: ZdZ 4, 1954, 121–126.

Gerhard DULCKEIT †, in: Baltische Briefe 7 (69), 1954, 5.

Predigt über 1. Mose 3,1–6, in: Alttestamentliche Predigten, zumeist in Universitätsgottesdiensten gehalten von den Professoren der Theologie, hg. v. Hans-Joachim KRAUS, Neukirchen 1954, 5–15.

Rez. Henry DANIEL-ROPS, Die Kirche zur Zeit der Apostel und Märtyrer. Die Kirche im Frühmittelalter, Berechtigte Übertragung aus dem Französischen von Martha FABIAN/Hilde HOEFERT, München 1951. 1953, in: Das historisch-politische Buch 2, 1954, 107–108.

Rez. Ernst STAEHELIN, Die Verkündigung des Reiches Gottes in der Kirche Jesu Christi. Zeugnisse aus allen Jahrhunderten und allen Konfessionen, Bd. 2 Von der Christianisierung der Franken bis zum ersten Kreuzzug, Basel 1953, in: ELKZ 8, 1954, 171.

Rez. Early Christian Fathers, newly translated and edited by Cyril C. RICHARDSON in collaboration with Eugene R. FAIRWEATHER, LCC 1, London 1953, in: ER 6, 1954, 203.

Rez. RAC, 9.–12. Lfg., Bd. 2, 1–640 (Bauer–Bruderschaft), Stuttgart 1950/1952, in: ThLZ 79, 1954, 154–157.

Rez. FS Franz Dornseiff zum 65. Geburtstag, hg. v. Horst KUSCH, Leipzig 1953, in: ZKG 65 (4. Folge 3), 1953/1954, 307–308.

Rez. Friedrich LOOFS, Leitfaden zum Studium der Dogmengeschichte, Bd. 1–2, 5., durchgesehene Auflage, Halle 1950–1953, in: ZKG 65 (4. Folge 3), 1953/1954, 308–309.

1955

Griechische Kirchenväter, UB 14, Stuttgart 1955 ([8]1993; englische Ausgabe, New York 1959, London 1963, combined edition of The fathers of the Greek Church and The fathers of the Latin Church, Peabody, Mass. 1998; französische Ausgabe, Paris 1963, [2]1969; japanische Ausgabe, Tokyo 1963).

Schlußgespräch, Buchausgabe der Sendereihe „Schöpfungsglaube und Evolutionstheorie" des Süddeutschen Rundfunks, Stuttgart 1955, 139–163.

Rez. Carl SCHNEIDER, Geistesgeschichte des antiken Christentums, 2 Bde., München 1954, in: Das historisch-politische Buch 3, 1955, 170–171.

Rez. Corpus Christianorum, Series Latina, Quinti Septimi Florentis Tertulliani Opera, Bd. 1 Opera catholica, Adversus Marcionem, Turnholti 1953, in: ELKZ 9, 1955, 32.

Rez. Jörg ERB, Die Wolke von Zeugen, Kassel/Berlin [2]1954, in: FAB 9, 1955, 160 Umschlagseite.

Rez. RAC, 13.–17. Lfg., Bd. 2, 641–1268; Bd. 3, 1–160 (Christusbild–Claudianus I), Stuttgart 1953–1955, in: ThLZ 80, 1955, 442–444.

Rez. Franz ALTHEIM, Niedergang der Alten Welt, Bd. 1 Die ausserrömische Welt, Bd. 2 Imperium Romanum, Frankfurt 1952, in: ThLZ 80, 1955, 444–447.

Rez. Werner ELERT, Abendmahl und Kirchengemeinschaft in der alten Kirche hauptsächlich des Ostens, Berlin 1954, in: ZKG 66 (4. Folge 4), 1954/1955, 165–167.

Rez. Paul SIMON, Aurelius Augustinus. Sein geistiges Profil, Paderborn 1954, in: ZKG 66 (4. Folge 4), 1954/1955, 170.

Rez. Wilhelm MICHAELIS, Das Ältestenamt der christlichen Gemeinde im Lichte der Heiligen Schrift, Bern 1953, in: ZW 26, 1955, 565.

1956

Hans VON SODEN, Urchristentum und Geschichte. Gesammelte Aufsätze und Vorträge, hg. v. Hans VON CAMPENHAUSEN, Bd. 2 Kirchengeschichte und Gegenwart, Tübingen 1956.

Hans Freiherr von Soden zum Gedächtnis, in: KiZ 10, 11. Jg., 1956, 233–234.

Die Heiterkeit der Christen. Aphoristische Notizen zu einem ernsten Thema, in: ZW 27, 1956, 239–246.

Rez. Joseph GROTZ S.J., Die Entwicklung des Bußstufenwesens in der vornicänischen Kirche, Freiburg 1955, in: ELKZ 10, 1956, 196–197.

Rez. RDK, begonnen v. Otto SCHMIDT†, hg., v. Ernst GALL/L.H. HEYDENREICH, 29.–39. Lfg., Stuttgart/Waldsee 1952–1954, in: ThLZ 81, 1956, 176–178.

Rez. Das Konzil von Chalkedon, Geschichte und Gegenwart, hg. v. Alois GRILLMEIER/Heinrich BACHT. Im Auftrag der Theologischen Fakultät S. J. Sankt Georgen, Bd. 2 Entscheidung um Chalkedon, Würzburg 1953, in: ThLZ 81, 1956, 223–226.

Rez. RAC, 18.–19. Lfg., Bd. 3, 161–480 (Claudianus I–Cyprianus III), Stuttgart 1955/1956, in: ThLZ 81, 1956, 443–445.

Rez. Karl BIHLMEYER, Kirchengeschichte, Bd. 2 Das Mittelalter, 14. Auflage, neu besorgt von Hermann TÜCHLE, Paderborn 1955, in: ThLZ 81, 1956, 453–454.

Rez. Ellen FLESSEMAN-VAN LEER, Tradition and Scripture in the early Church, GTB 24, Assen 1954, in: ZKG 67 (4. Folge 5), 1955/1956, 156–157.

Rez. Joseph A. FISCHER, Studien zum Todesgedanken in der alten Kirche, München 1954, in: ZKG 67 (4. Folge 5), 1955/1956, 333–334.

1957

Die Begründung kirchlicher Entscheidungen beim Apostel Paulus. Zur Grundlegung des Kirchenrechts, SHAW.PH 1957/2, Heidelberg 1957 (2., ergänzte Auflage, Heidelberg 1965).

Bearbeitungen und Interpolationen des Polykarpmartyriums, SHAW.PH 1957/3, Heidelberg 1957.

Das Gottesbild im Abendland mit Beiträgen von Wolfgang SCHÖNE/Johannes KOLLWITZ/Hans Freiherr VON CAMPENHAUSEN, GlF 15, Witten/Berlin 1957: Die Bilderfrage als theologisches Problem der alten Kirche, 77–108; Zwingli und Luther zur Bilderfrage, 139–172.

Das Martyrium des Zacharias. Seine früheste Bezeugung im zweiten Jahrhundert, in: HJ 77, 1957, 383–386.

Die Bilderfrage in der Reformation, in: ZKG 68 (4. Folge 6), 1957, 96–128.

Art. Ambrosius, in: RGG³, Bd. 1, Tübingen 1957, 307–308.

Rez. Sancti Ambrosii opera, pars 7 Explanatio symboli. De sacramentis. De mysteriis. De paenitentia. De excessu fratris. De obitu Valentiniani. De obitu Theodosii, rec. Otto FALLER, CSEL 73, Wien 1955, in: DLZ 78, 1957, 294–296.

Rez. RDK, begr. v. Otto SCHMIDT†, hg. v. Ernst GALL/L.H. HEYDENREICH, 40.–42. Lfg., Stuttgart/Waldsee 1955/1956, in: ThLZ 82, 1957, 53–55.

Rez. René VOELTZEL, Le rire du Seigneur. Enquêtes et remarques sur la signification théologique et pratique de l'ironie biblique, Strasbourg 1955, in: ThLZ 82, 1957, 354–355.

Rez. Wolfgang SCHÖNE, Über das Licht in der Malerei, Berlin 1954, in: ThLZ 82, 1957, 372–375.

Rez. Jean COLSON, Les fonctions ecclésiales aux deux premiers siècles, TET, Paris 1956, in: ThZ 13, 1957, 374–375.

Rez. Baltische Kirchengeschichte. Beiträge zur Geschichte der Missionierung und der Reformation der evangelisch-lutherischen Landeskirchen und des Volkskirchentums in den baltischen Landen, hg. v. Reinhard WITTRAM, Göttingen 1956, in: ZKG 68 (4. Folge 6), 1957, 349–351.

1958

Die alte Kirche, in: Die evangelische Christenheit in Deutschland. Gestalt und Auftrag, hg. v. Günter JACOB/Hermann KUNST/Wilhelm

STÄHLIN, Bildredaktion und Bildlegenden von Richard BIEDRZYNSKI, Stuttgart 1958, 125–130.

Rez. Hans Ulrich INSTINSKY, Das Jahr der Geburt Christi. Eine geschichtswissenschaftliche Studie, München 1957, in: Das historischpolitische Buch 6/5, 1958, 134–135.

Rez. Ernst STAEHELIN, Die Verkündigung des Reiches Gottes in der Kirche Jesu Christi. Zeugnisse aus allen Jahrhunderten und allen Konfessionen, Bd. 4 Von Beginn des 16. bis zur Mitte des 17. Jahrhunderts, Basel 1957, in: ELKZ 12, 1958, 253.

Rez. RAC, 20.–24. Lfg., Bd. 3, 481–1260 (Cyprianus III–Dogma I), Stuttgart 1956/1957, in: ThLZ 83, 1958, 280–283.

Rez. Philip CARRINGTON, The Early Church, Bd. 1 The first christian century, Bd. 2 The second christian century, Cambridge 1957, in: ThLZ 83, 1958, 844–845.

Rez. Frank L. CROSS, The Oxford Dictionary of the Christian Church, London 1957, in: ZKG 69 (4. Folge 7), 1958, 132.

Rez. StPatr, Bd. 1–2, Leuven/Berlin 1957, in: ZKG 69 (4. Folge 7), 1958, 135–137.

Rez. Lexikon für Theologie und Kirche, begründet von Michael BUCHBERGER, zweite, völlig neu bearbeitete Auflage unter dem Protektorat von Erzbischof Michael BUCHBERGER, Regensburg/Erzbischof Eugen SEITERICH, Freiburg im Breisgau, hg. v. Josef HÖFER, Rom/Karl RAHNER, Innsbruck, Bd. 1 (A–Baronius), Freiburg 1957, in: ZKG 69 (4. Folge 7), 1958, 321–322.

Rez. Gerhard KEHNSCHERPER, Die Stellung der Bibel und der alten christlichen Kirche zur Sklaverei. Eine biblische und kirchengeschichtliche Untersuchung von den alttestamentlichen Propheten bis zum Ende der Römischen Reiches, Halle 1957, in: ZKG 69 (4. Folge 7), 1958, 328–329.

1959

Das Problem der Ordnung im Urchristentum und in der alten Kirche, in: Vorträge, gehalten auf der Herbsttagung der Landessynode 1958, Karlsruhe 1958, 6–12, auch in: Hans VON CAMPENHAUSEN/Heinrich BORNKAMM, Bindung und Freiheit in der Ordnung der Kirche, SGV 222/223, Tübingen 1959, 5–25.

Rez. Wolfgang SEIBEL, Fleisch und Geist beim heiligen Ambrosius, MThS.S 14, München 1958, in: ThLZ 84, 1959, 677–678.

Rez. Bernhard SCHÖPF, Das Tötungsrecht bei den frühchristlichen Schriftstellern bis zur Zeit Konstantins, SGKMT 5, Regensburg 1958, in: ThLZ 84, 1959, 757–759.

Rez. LThK², Bd. 2 (Barontus–Cölestiner), Freiburg 1958, in: ZKG 70 (4. Folge 8), 1959, 146–147.

Rez. LThK², Bd. 3 (Colet–Faistenberger), Freiburg 1959, in: ZKG 70 (4. Folge 8), 1959, 309–310.

Rez. Georg TECHTWEIER, Die Sündenlehre des Origenes, SGKMT 7, Regensburg 1958, in: ZKG 70 (4. Folge 8), 1959, 320–322.

1960

Lateinische Kirchenväter, UB 50, Stuttgart 1960 ([7]1995; englische Ausgabe, London 1964, Stanford 1964; combined edition of The fathers of the Greek Church and The fathers of the Latin Church, Peabody, Mass. 1998; italienische Ausgabe, Florenz 1964, [2]1970; französische Ausgabe, Paris 1967; polnische Ausgabe [zus. mit „Griechische Kirchenväter"], Warschau 1998; spanische Ausgabe, Madrid 2001).

Tradition und Leben. Kräfte der Kirchengeschichte. Aufsätze und Vorträge, Tübingen 1960 (englische Ausgabe, London 1968).

Art. Märtyrerakten, in: RGG³, Bd. 4, Tübingen 1960, 592–593.

Art. Optatus, in: RGG³, Bd. 4, Tübingen 1960, 1660.

Rez. Francis DVORNIK, The idea of apostolicity in Byzantium and the legend of the apostle Andrew, DOS 4, Cambridge 1958, in: Gn. 32, 1960, 378–379.

Rez. Wilhelm KRAUSE, Die Stellung der frühchristlichen Autoren zur heidnischen Literatur, Wien 1958, in: ThLZ 85, 1960, 287–288.

Rez. Arnold A. T. EHRHARDT, Politische Metaphysik von Solon bis Augustin, Bd. 1 Die Gottesstadt der Griechen und Römer, Bd. 2 Die christliche Revolution, Tübingen 1959, in: ZKG 71 (4. Folge 9), 1960, 133–138.

Rez. LThK², Bd. 4 (Faith and Order–Hannibaldis), Freiburg 1960, in: ZKG 71 (4. Folge 9), 1960, 328–329.

Rez. Philip SHERRARD, The Greek East and the Latin West. A study in the Christian tradition, London 1959, ZKG 71 (4. Folge 9), 1960, 329–330.

Rez. Jean-Paul BRISSON, Autonomisme et Christianisme dans l'Afrique Romaine de Septime Sévère à l'invasion vandale, Paris 1958, in: ZKG 71 (4. Folge 9), 1960, 336–338.

1961

Christentum und Humor, in: ThR 27, 1961, 65–82.

Art. Paulinus von Mailand, in: RGG³, Bd. 5, Tübingen 1961, 164–165.

(zusammen mit J. A. DVOŘÁČEK) Das Wunder der Auferstehung und das leere Grab. Ein Briefwechsel, in: CV 4, 1961, 262–272.

Rez. Jacques MOREAU, Die Christenverfolgungen im römischen Reich. Erweiterte Fassung der Originalausgabe von 1956: La persécution du Christianisme dans l'Empire romain, WAR 2, Berlin 1961, in: Das historisch-politische Buch 9, 1961, 295.

Rez. Jahrbuch für Antike und Christentum (JbAC), im Auftrag der Nordrhein-Westfälischen Akademie der Wissenschaften hg. im Franz-Joseph-Dölger-Institut der Universität Bonn, Bd. 1, Münster 1958, Bd. 2, Münster 1959, in: ThLZ 86, 1961, 206–208.

Rez. RAC, 25.–32. Lfg., Bd. 4, 1272 Sp. (Dogma II–Empore), Stuttgart 1959, in: ThLZ 86, 1961, 594–596.

Rez. LThK², Bd. 5 (Hannover–Karterios), Freiburg 1960, in: ZKG 72 (4. Folge 10), 1961, 371–372.

1962

Die Jungfrauengeburt in der Theologie der alten Kirche, SHAW.PH 1962/3, Heidelberg 1962 (englische Ausgabe, London 1964).

Die Jungfrauengeburt in der Theologie der alten Kirche, in: KuD 8, 1962, 1–26 (kurze Fassung).

Patristische Kommission der Akademien der Wissenschaften zu Göttingen, Heidelberg, Mainz und München, in: Gn. 34, 1962, 319.

Rez. Wolfgang BENDER, Die Lehre über den heiligen Geist bei Tertullian, MThS.S 18, München 1961, in: ThLZ 87, 1962, 275–276.

Rez. RAC, 33.–36. Lfg., Bd. 5, 640 Sp. (Endelechius–Epiktet), Stuttgart 1960/1961, in: ThLZ 87, 1962, 521–524.

Rez. LThK², Bd. 6 (Karthago–Marcellino), Freiburg 1961, in: ZKG 73 (4. Folge 11), 1962, 126–127.

1963

Aus der Frühzeit des Christentums. Studien zur Kirchengeschichte des ersten und zweiten Jahrhunderts, Tübingen 1963.

Die Christen in Alt-Alexandria, in: Koptische Kunst – Christentum am Nil, Ausstellung vom 3.5.–15.8.1963 in der Villa Hügel, Essen, veranstaltet v. dem Gemeinnützigen Verein Villa Hügel e. V., Essen-Bredeney, Essen 1963, 48–53.

Die Entstehung des Neuen Testaments, in: HdJb 7, 1963, 1–12.

*Tod, Unsterblichkeit und Auferstehung, in: ProVer, 1963, 295–311.

Rez. Sancti Ambrosii opera, pars 8 De fide, rec. Otto FALLER, CSEL 78, Wien 1962, in: DLZ 84, 1963, 989–990.

Rez. JbAC, Bd. 3, Münster 1960, in: ThLZ 88, 1963, 46–47.

Rez. René VOELTZEL, Das Lachen des Herrn. Über die Ironie der Bibel, übersetzt v. Barbara MARX, ThF 17, Hamburg 1961, in: ThLZ 88, 1963, 261.

Rez. Pierre NAUTIN, Lettres et écrivains chrétiens des IIe et IIIe siècles, Paris 1961, in: ThLZ 88, 1963, 673–676.

Rez. LThK², Bd. 7 (Marcellinus–Paleotti), Freiburg 1962, in: ZKG 74 (4. Folge 12), 1963, 134–135.

Rez. Handbuch der Kirchengeschichte (HKG[J]), hg. v. Hubert JEDIN, Bd. 1 Carl BAUS, Von der Urgemeinde zur frühchristlichen Großkirche, Freiburg 1962, in: ZKG 74 (4. Folge 12), 1963, 341–342.

1964

Baltisches Erbe. 65 Beiträge in Berichten und Selbstzeugnissen. Mit drei Abbildungen und 20 Portraitaufnahmen, hg. v. Erik THOMSON, Frankfurt a. M. 1964, 113.

Rez. Jean-Michel HORNUS, Politische Entscheidungen in der alten Kirche, BEvTh 35, München 1963, in: EvTh 24, 1964, 275–277.

Rez. Emin TENGSTRŒM, Donatisten und Katholiken. Soziale, wirtschaftliche und politische Aspekte einer nordafrikanischen Kirchenspaltung, SGLG 18, Göteborg 1964, in: KHÅ 64, 1964, 285–289.

Rez. JbAC, Bd. 4, Münster 1962, in: ThLZ 89, 1964, 920–921.

Rez. RAC, 40. Lfg., Bd. 5, 1122–1286 (Erde–Erfinder II), Stuttgart 1961, in: ThLZ 89, 1964, 922.

1965

Ursprung und Bedeutung der christlichen Tradition, in: ILRef 8, Göttingen 1965, 25–45.

Irenäus und das Neue Testament, in: ThLZ 90, 1965, 1–8.

Was ist Ostern geschehen? Die geschichtlichen Daten der Auferstehung Jesu, in: SBl 18, Nr. 16 vom 18.4.1965, 14.

Tradition, in: Theologie für Nichttheologen. ABC des protestantischen Denkens, hg. v. Hans Jürgen SCHULTZ, Bd. 4, Stuttgart 1965, 65–70 (holländische Übersetzung des ersten Bandes 1966, 2., durchgesehene Auflage 1966).

Rez. Sancti Ambrosii opera, pars 9 De Spiritu Sancto libri tres. De incarnationis dominicae sacramento, ed. Otto FALLER, CSEL 79, Wien 1964, in: DLZ 86, 1965, 876–877.

Rez. Ernst DASSMANN, Die Frömmigkeit des Kirchenvaters Ambrosius von Mailand. Quellen und Entfaltung, MBTh 29, Münster 1965, in: JbAC 8, 1965, 214–216.

Rez. JbAC, Bd. 5, 1962, Münster 1963, in: ThLZ 90, 1965, 47–48.

Rez. The Conflict between Paganism and Christianity in the Fourth Century, ed. by Arnaldo MOMIGLIANO, OWS, Oxford 1963, in: ThLZ 90, 1965, 193–194.

Rez. RAC, 41.–44. Lfg., Bd. 6, 1–640 (Erfüllung–Essig), Stuttgart 1964/1965, in: ThLZ 90, 1965, 913–915.

Rez. LThK², Bd. 9 (Rom–Tetzel), Freiburg 1964, in: ZKG 76 (4. Folge 14), 1965, 419–420.

1966

Henry CHADWICK/Hans VON CAMPENHAUSEN, Jerusalem and Rome. The problem of authority in the Early Church, FB.H 4, Philadelphia 1966 (enthält: Die Nachfolge des Jakobus [siehe S. 99] in englischer Übersetzung).

Vergebung der Sünden?, in: Hans-Joachim GIROCK, Alte Botschaft – Neue Wege. Wie erreicht die Kirche den Menschen von heute? Was verkündet die Kirche den Menschen von heute?, Stuttgart 1966, 152–161.

Marcion et les origines du Canon néotestamentaire, in: RHP 3, 1966, 213–226.

Rez. JbAC, Bd. 6, 1963, Münster 1964, in: ThLZ 91, 1966, 357–359.

Rez. RAC, 45.–46. Lfg., Bd. 6, 641–960 (Essig–Euphemismus), Stuttgart 1965, in: ThLZ 91, 1966, 836–838.

1967

Rez. William H. C. FREND, Martyrdom and Persecution in the Early Church. A study of a conflict from the Maccabees to Donatus, Oxford 1965, in: NT 9, 1967, 155–157.

Rez. JbAC, Bd. 7, 1964, Münster 1966, in: ThLZ 92, 1967, 829–831.

1968

Die Entstehung der christlichen Bibel, BHTh 39, Tübingen 1968, ²1977. Neudruck der ersten Auflage 1968 mit einem Nachwort von Christoph MARKSCHIES, Tübingen 2003 (französische Ausgabe, Neuchâtel/Paris 1971; englische Ausgabe, London 1972, ²1997; norwegische Ausgabe, Oslo 1976).

Tradition and Life in the Church. Essays and Lectures in Church History, translated by Arthur V. LITTLEDALE, London 1968.

Die Entstehung des Neuen Testaments, in: Univ. 23, 1968, 477–492 (englische Ausgabe 1969).

Diskussionsbeitrag zu dem Aufsatz von J. DVOŘÁČEK über Römer 13, in: ZEE 12, 1968, 298–299.

Rez. RAC, 46.–47. Lfg., Bd. 6, 961–1268 (Euphemismus–Evangelium), Stuttgart 1965, in: ThLZ 93, 1968, 670–673.

Rez. RAC, 48.–52. Lfg., Bd. 7, 1–640 (Evangelium–Feige I), Stuttgart 1966/1967, in: ThLZ 93, 1968, 843–845.

Rez. Manlio SIMONETTI, Studi sull' Arianesimo, VSen 5, Rom 1965, in: VigChr 22, 1968, 304–306.

1969

Zehn Fragen an die Kirche. Vorgelegt von Christoph EHMANN u. a., beantwortet von 60 Persönlichkeiten der Evangelischen Kirche, der theologischen Fakultät und der kirchlichen Publizistik, hg. v. Wolfgang ERK, Hamburg 1969 (Beteiligung an den Antworten).

Der Auferstehungsglaube und die moderne Naturwissenschaft. Radio-Diskussion mit Hans Schaefer, in: Was ist der Tod? Elf Beiträge und eine Diskussion, Das Heidelberger Studio 45, München 1969 (²1970), 179–192.

Rez. JbAC, Bd. 8/9, 1965/1966, Münster 1976, in: ThLZ 94, 1969, 42–44.

Rez. JbAC, Bd. 10, 1967, Münster 1968, in: ThLZ 94, 1969, 834–836.

Rez. Michel MESLIN, Les Ariens d'Occident 335–430, PatSor 8, Paris 1967, in: ThRv 65, 1969, 196–198.

1970

Gesetzliche Norm und Rechtsbildung in der Kirche des Neuen Testaments, in: Rechtsstaat oder Richterstaat, Vorträge gehalten auf der Tagung evangelischer Juristen 1969, hg. v. Georg LANZENSTIEL, München 1970, 33–42.

Die Entstehung der Heilsgeschichte. Der Aufbau des christlichen Geschichtsbildes in der Theologie des ersten und zweiten Jahrhunderts, in: Saec. 21, 1970, 189–212.
Kirche und Gewalt unvereinbar, Leserbrief, in: FAZ, Nr. 267 vom
   17.11.1970, 9.
Rez. RAC, 53.–56. Lfg., Bd. 7, 641–1288 (Feige I–Fluchformeln), Stuttgart
   1968/1969, in: ThLZ 95, 1970, 277–280.
Rez. Edmund SCHLINK, Die Lehre von der Taufe, Kassel 1969, in: ZEvKR
   15, 1970, 301–302.
Rez. Paul MIKAT, Die Bedeutung der Begriffe Stasis und Aponoia für das
   Verständnis des 1. Clemensbriefes, VAFLNW 155, Köln u. a.
   1969, in: ZSRG.K 56, 1970, 419–420.

1971

Taufen auf den Namen Jesu?, in: VigChr 25, 1971, 1–16.
Zu Cyprian, ep. 74, 2, in: ZNW 62, 1971, 135–136.
Rez. Giorgio JOSSA, Regno di dio e chiesa. Ricerche sulla concezione esca-
   tologica ed ecclesiologica dell' „Adversus haereses" di Ireneo di
   Lione, HSal.S 2, Napoli 1970, in: ThLZ 96, 1971, 688–690.

1972

Tod und Auferstehung Jesu als „historische Fakten", in: Moderne Exegese
   und historische Wissenschaft. Dokumentation der Tagung des
   Deutschen Instituts für Bildung und Wissen in Niederaltaich vom
   6.–11. Oktober 1969, hg. v. Johannes M. HOLLENBACH/Hugo
   STAUDINGER, Trier 1972, 94–103.
Rez. JbAC, Bd. 11/12, 1968/1969, Münster 1970, in: ThLZ 97, 1972, 282–
   284.
Rez. JbAC, Bd. 13, 1970, Münster 1971, in: ThLZ 97, 1972, 848–850.

1973

Theologenspieß und -spaß. Kaum 400 christliche und unchristliche Scherze,
   GTBS 172, Hamburg 1973 (7. Auflage, durchgesehen und erwei-
   tert von Axel VON CAMPENHAUSEN, KVR 1536, Göttingen 1988).
Einheit und Einigkeit in der alten Kirche, in: EvTh 33, 1973, 280–293.
Rez. JbAC, Bd. 14, 1971, Stuttgart 1972, in: ThLZ 98, 1973, 688–689.

1974

Ostertermin oder Osterfasten? Zum Verständnis des Irenäusbriefes an Viktor (Euseb Hist. Eccl. 5, 24, 12–17), in: VigChr 28, 1974, 114–138.

Rez. RAC, 57.–61. Lfg., Bd. 8, 800 Sp. (Fluchtafeln–Galilaea), Stuttgart 1969–1971, in: ThLZ 99, 1974, 113–117.

1975

Der Herrentitel Jesu und das urchristliche Bekenntnis, in: ZNW 66, 1975, 127–129.

1976

Das Bekenntnis Eusebs von Caesarea (Nicaea 325), in: ZNW 67, 1976, 123–139.

1977

Die theologische Eigenart der lateinischen Kirchenväter, in: Karl BÜCHNER, Römische Welt und lateinische Sprache heute, VKAEF 31, Karlsruhe 1977, 47–56.

Gebetserhörung in den überlieferten Jesusworten und in der Reflexion des Johannes, in: KuD 23, 1977, 157–171.

Zur Perikope von der Ehebrecherin (Joh 7,53–8,11), in: ZNW 68, 1977, 164–175.

1979

Urchristliches und Altkirchliches. Vorträge und Aufsätze, Tübingen 1979.

2005

Die „Murren" des Hans Freiherr von Campenhausen. „Erinnerungen, dicht wie ein Schneegestöber". Autobiografie, hg. v. Ruth SLENCZKA, Norderstedt 2005.